As Cinco Linguagens do Amor

GARY CHAPMAN

AS CINCO
LINGUAGENS
DO AMOR

Como expressar um compromisso
de amor a seu cônjuge

Traduzido por
IARA VASCONCELLOS

Editora Mundo Cristão
São Paulo

Copyright © 1992, 1995 por Gary D. Chapman
Publicado originalmente por Northfield Publishing, EUA
Guia de estudo
Copyright © 1995, 1995 por James S. Bell

Editora responsável: Silvia Justino
Colaboração: Rodolfo Ortiz
Preparação de texto: Tereza Gouveia
Supervisão de produção: Lilian Melo
Capa: Douglas Lucas

Os textos das referências bíblicas foram extraídos da versão Almeida
Revista e Atualizada, 2ª ed. (Sociedade Bíblica do Brasil), salvo indicação
específica.

Dados Internacionais de Catalogação na Publicação (CIP)
(Câmara Brasileira do Livro, SP, Brasil)

Chapman, Gary

    As cinco linguagens do amor: como expressar um compromisso de amor ao seu
cônjuge / Gary Chapman; traduzido por Iara Vasconcellos — São Paulo: Mundo
Cristão, 2006.

    Título original: The five love languages.
    Bibliografia.
    ISBN 85-7325-119-0

    1. Amor 2. Casais - aspectos psicológicos 3. Casais - aspectos religiosos
4. Relacionamentos interpessoais - aspectos morais e religiosos I. Título.

95-363   CDD–200.19

Índice para catálogo sistemático:
1. Relações interpessoais: Psicologia aplicada   158.2
Categoria: Casamento

Publicado no Brasil com todos os direitos reservados pela:
Editora Mundo Cristão
Rua Antônio Carlos Tacconi, 79, São Paulo, SP, Brasil, CEP 04810-020
Telefone: (11) 2127-4147
Home page: www.mundocristao.com.br

1ª edição: setembro de 1997
2ª edição: fevereiro de 2006
16ª reimpressão: 2009

Para Karolyn,
Shelley e
Derek

Sumário

Agradecimentos   9

1. O que acontece com o amor após o casamento?   11
2. Cultivando o amor que agradece   19
3. Apaixonando-se   27
4. Primeira linguagem do amor: Palavras de afirmação   43
5. Segunda linguagem do amor: Tempo de qualidade   63
6. Terceira linguagem do amor: Presentes   87
7. Quarta linguagem do amor: Atos de serviço   107
8. Quinta linguagem do amor: Toque físico   127
9. Como descobrir sua primeira linguagem do amor   145
10. Amar é escolha   155
11. O amor faz a diferença   165
12. Amando a quem não merece nosso amor   173
13. Os filhos e as linguagens do amor   191
14. Uma palavra pessoal   203

Introdução ao guia de estudo   208

Agradecimentos

O amor começa, ou pelo menos deveria começar, no lar. Para mim, amor significa Sam e Grace, meu pai e minha mãe, que me amaram durante mais de cinqüenta anos. Sem eles, ainda estaria à procura do amor, em vez de escrever sobre ele. Lar também significa Karolyn, com quem estou casado há mais de trinta anos. Se as esposas amassem os maridos como ela me ama, poucos seriam infiéis. Shelley e Derek já saíram do ninho e exploram novos mundos, mas temos muita certeza do amor que nutrem por nós. Sinto-me abençoado e muito agradecido.

Estarei sempre em dívida da influência que recebi de um grande número de profissionais sobre conceitos de amor. Entre eles, estão os psiquiatras Ross Campbell, Judson Swihart e Scott Peck. Sou grato a Debbie Barr e Cathy Peterson pela orientação editorial. A experiência de Tricia Kube e Don Schmidt possibilitou a conclusão desse projeto no prazo. Por fim, e mais importante, gostaria de expressar minha gratidão aos muitos casais que, ao longo destes vinte anos, partilharam a intimidade da vida comigo. Este livro é uma homenagem à honesti-demonstrada por esses casais.

1
O que acontece com o amor após o casamento?

Estávamos a uns doze mil metros de altitude, em algum lugar entre Buffalo e Dallas, quando meu companheiro de viagem colocou a revista que estava lendo na bolsa de seu banco, olhou em minha direção e perguntou:

— Em que você trabalha?

— Sou conselheiro conjugal e sou palestrante em seminários sobre família — respondi.

Ele me disse que queria fazer uma pergunta a um conselheiro conjugal havia muito tempo, e aproveitaria para formulá-la naquela hora:

— O que acontece com o amor após o casamento?

Como estava desistindo de tentar tirar um cochilo, perguntei-lhe:

— O que exatamente quer dizer?

— Bem, já me casei três vezes, e em cada uma delas tudo era muito bonito até o dia do casamento. Em algum lugar, depois do sim, as coisas mudavam. Todo o amor que eu imaginava ter por elas, e que elas pareciam ter por mim, evaporou-se. Considero-me uma pessoa inteligente, sou um empresário bem-sucedido, mas não consigo entender por que dessa situação.

Continuamos a conversar:

— Por quanto tempo você ficou casado?

— O primeiro casamento durou cerca de dez anos. O segundo, três, e o último, seis anos.

— O amor evaporou-se imediatamente após o casamento, ou foi uma perda gradual?

— Bem, o segundo casamento já não deu certo desde o começo. Não entendi o que aconteceu. Pensei que nós realmente nos amássemos! No entanto, a lua-de-mel foi um desastre, e depois disso não nos entendemos. Tivemos um período de seis meses de namoro, um romance arrebatador. Estávamos realmente entusiasmados. Mas... foi só nos casarmos para que nossa vida virasse uma batalha sem trégua. No primeiro casamento, tivemos uns três ou quatro anos bons, antes que o primeiro filho nascesse. Daí em diante, ela deu toda a atenção para a criança e parecia não precisar mais de mim!

— Você disse isso a ela?

— Disse, sim! Mas ela disse que eu estava maluco e não sabia o que era ser uma babá 24 horas por dia. Até reclamou que eu deveria ser mais compreensivo e ajudá-la mais. Eu tentei, mas parecia que não fazia nenhuma diferença. Dali em diante fomos nos afastando. Depois de certo tempo não havia mais amor, só indiferença. Chegamos à conclusão de nosso casamento tinha acabado.

— E seu último casamento?

— O meu último casamento? Eu realmente pensei que seria diferente! Já estava divorciado havia três anos. Namorei dois anos com minha esposa. Achei que realmente sabíamos o que estávamos fazendo e pela primeira vez na vida senti que amava alguém de verdade. Pensei que ela me amasse de verdade também!

Ele prosseguiu:

— Acho que não mudei depois do casamento. Continuei a dizer ela que a amava, como fazia antes de nos casarmos. Falava o quanto era bonita e como estava orgulhoso de ser seu marido. Mas... alguns meses depois do casamento ela começou a reclamar. No início, era de coisas pequenas, como eu não levar o lixo para fora ou não guardar minhas roupas. Depois, começou a me agredir, dizendo que não confiava em mim, e me acusou de infidelidade. Passou a ser negativa, mas antes de nos casarmos não era pessimista; pelo contrário, era uma das pessoas mais otimistas que eu conhecia. Seu otimismo foi um dos aspectos que mais me atraiu nela. Ela nunca reclamava, e tudo que eu fazia era maravilhoso. Bastou nós nos casarmos para que, de repente, eu não fizesse mais nada certo! Aos poucos, perdi meu amor por ela e fiquei magoado. Era óbvio que ela não me amava mais. Chegamos à conclusão de que não havia mais motivo para continuar juntos e nos separamos.

Ele fez uma pausa e continuou:

— Isso foi há um ano. Minha pergunta é: O que acontece com o amor após o casamento? Minha experiência é comum? É por isso que há tantos divórcios? Não dá para acreditar que tenha acontecido três vezes comigo! E os casais que não se separam? Eles aprendem a viver com o vazio no coração, ou o amor permanece vivo em algum casamento? Se é assim, como acontece?

As perguntas feitas por meu companheiro de vôo são as mesmas das milhares de pessoas, casadas ou divorciadas, de hoje em dia. Algumas perguntas são feitas a amigos, outras a conselheiros, a pastores, e outras apenas a si mesmos. Algumas respostas contêm termos de psicologia, incompreensíveis; outras têm uma pitada de humor. A maioria das piadas e frases encerram alguma verdade, mas, de forma geral, é como oferecer aspirina a uma pessoa com câncer.

> Devemos estar dispostos a aprender a primeira linguagem do amor de nosso cônjuge se quisermos comunicar o amor de uma forma eficiente.

O desejo de ter um amor romântico no casamento está profundamente enraizado em nossa formação psicológica. A maioria das revistas populares contém pelo menos um artigo sobre como manter a chama do amor no casamento. Há uma infinidade de livros sobre o mesmo tema. Os programas de televisão e rádio abordam esse assunto em programas e entrevistas. Manter o amor vivo no casamento é um assunto muito sério.

Mesmo com tantos livros, revistas e ajuda disponíveis, por que tão poucos casais parecem ter descoberto o segredo de manter o amor vivo após o casamento? Por que um casal que assiste a um curso de comunicação, com maravilhosas idéias sobre como melhorar o diálogo, não consegue pôr em prática os exercícios aprendidos? O que acontece se, depois de lermos um artigo do tipo "100 Formas de Expressar Amor" e colocarmos em prática três formas mais adequadas, nosso cônjuge não reconhecer nosso esforço? - Desistimos das outras 97 formas e retornamos ao nosso dia-a-dia.

A resposta às perguntas anteriores é o propósito desta obra. Não quero dizer que todos os livros e artigos já publicados não ajudem. O problema é que não levamos em conta uma verdade fundamental: As pessoas falam diferentes linguagens do amor.

Na lingüística há alguns grandes grupos de idiomas: japonês, chinês, espanhol, inglês, português, grego, alemão, francês etc. A maioria das pessoas aprende somente o idioma dos pais e irmãos, a primeira linguagem, ou seja, nosso vernáculo. Mais tarde, podemos até aprender outros idiomas, mas em geral com maior dificuldade. Surge então o que chamamos de segunda linguagem. Falamos e compreendemos melhor nossa língua nativa, nos sentimos mais confortáveis quando a usamos.

Mas, quanto mais utilizarmos uma segunda língua, mais à vontade nos sentiremos em expressá-la. Se falarmos somente nosso idioma e encontrarmos alguém que também só fale o dele (diferente do nosso), a comunicação entre nós será bem limitada. Será necessário apontar, gesticular, desenhar ou fazer mímica para comunicar a idéia que desejamos transmitir. Poderemos até nos entender, mas será uma comunicação bem rudimentar. As diferenças de linguagem fazem parte da cultura humana; se quisermos um bom intercâmbio cultural será necessário aprender a linguagem daquele com quem desejamos nos comunicar.

Isso também acontece no âmbito do amor. Sua linguagem emocional e a de seu cônjuge podem ser tão diferentes quanto o chinês é do inglês. Não importa o quanto você se esforça para manifestar seu amor em inglês se seu cônjuge só entender chinês: jamais conseguirão entender o quanto se amam.

Meu companheiro de vôo usava a linguagem das "palavras de afirmação" para sua terceira esposa, quando lhe dizia o quanto a achava bonita, o quanto a amava e o quanto se orgulhava de ser seu marido. Ele utilizava a linguagem do amor, e era sincero, mas ela não a entendia. Talvez ela procurasse o amor em seu comportamento, mas não o encontrou. Ser sincero não é o suficiente. Devemos estar dispostos a aprender a primeira linguagem de nosso cônjuge se quisermos comunicar eficazmente nosso amor.

Minha conclusão, após vinte anos de aconselhamento conjugal, é que existem, basicamente, cinco linguagens do amor. Em lingüística, um idioma pode ter inúmeros dialetos e variações. Da mesma forma, com as cinco linguagens emocionais básicas do amor, também há vários dialetos. Eles se encontram em artigos de revistas, como: "10 Formas de Demonstrar Amor à Esposa"; "20 Formas de Manter o Marido em Casa"; ou "365 Expressões do Amor Conjugal". Não há 10, 20 nem 365 linguagens básicas do amor. Em minha opinião, há somente cinco. No entanto, pode haver inúmeros dialetos. O número de formas de expressar amor pela linguagem do amor é limitado apenas pela imaginação das pessoas. O mais importante é falar a mesma linguagem do amor de seu cônjuge.

Há muito se sabe que na primeira infância uma criança desenvolve formas emocionais únicas. Por exemplo, algumas crianças apresentam um padrão de auto-estima muito baixo, ao passo que outras têm um padrão muito elevado. Algumas desenvolvem padrões de insegurança; outras crescem sentindo-se seguras. Algumas se sentem amadas, queridas e admiradas; outras, mal-amadas, incompreendidas e desprezadas.

As crianças que se sentem amadas por seus pais e amigos desenvolvem a linguagem do amor emocional, com base em sua formação psicológica única, bem como de acordo com a forma com que pais e pessoas próximas lhe deram carinho. Elas falarão e entenderão sua primeira linguagem do amor. Mais tarde poderão aprender outras linguagens para se comunicar, mas sempre se sentirão mais confortáveis com o primeiro idioma que aprenderam. As crianças que não se sentem amadas por seus pais nem por amigos também desenvolverão uma primeira linguagem do amor.

O aprendizado dessa língua, porém, será distorcido e apresentará falhas, como alguém que não aprende gramática corretamente e desenvolve um vocabulário limitado. Essa limitação não impedirá que essas pessoas venham a ser boas comunicadoras, mas significa que terão de trabalhar mais diligentemente do que os que cresceram na atmosfera do amor saudável.

É muito raro que marido e mulher tenham a mesma primeira linguagem emocional do amor. Nossa tendência é falarmos nossa primeira linguagem do amor e ficarmos confusos quando o cônjuge não compreende o que desejamos comunicar. Expressamos nosso amor, mas a mensagem não é compreensível porque, para ele, falamos em uma língua desconhecida. Aí reside o problema. O propósito deste livro é oferecer uma solução a essa questão, por isso me empenhei em escrever esta obra sobre o amor. Se conhecermos as cinco linguagens básicas do amor e compreendermos nossa linguagem e a de nosso côn-juge, teremos a informação necessária para colocarmos em prática as idéias de outros livros e artigos.

Se você identificar e aprender a falar a primeira linguagem do amor de seu cônjuge, creio que terá descoberto a chave para um amor conjugal duradouro. O amor não pode evapo-rar-se após o casamento! Para mantê-lo vivo, temos de apren-der uma segunda linguagem do amor. Não podemos confiar somente em nossa língua materna, se nosso cônjuge não a com-preende. Se quisermos que ele compreenda o amor que lhe desejamos comunicar, devemos expressá-lo na primeira lingua-gem do amor.

2
Cultivando o amor que agradece

Amor é a palavra mais importante de qualquer idioma — e também a que mais gera confusão! Pensadores, tanto seculares quanto religiosos, concordam que este sentimento ocupa um papel central em nossa vida. Diz-se que "o amor é uma coisa esplendorosa" e "o amor faz o mundo girar". Milhares de livros, músicas, revistas e filmes surgiram inspirados por essa palavra. Inúmeros sistemas filosóficos e teológicos construíram um lugar de destaque para esse sentimento, e o fundador da fé cristã coloca o amor como a característica que deve distinguir seus seguidores.[1]

Segundo os psicólogos, sentir-se amado é a principal necessidade do ser humano. Por amor, subimos montanhas, atravessamos mares, cruzamos desertos e enfrentamos todo tipo de adversidade. Sem amor, as montanhas tornam-se insuperáveis, os mares intransponíveis, os desertos insuportáveis e as dificuldades avolumam-se pela vida afora. O apóstolo Paulo, exaltou o amor ao afirmar que qualquer ato humano não motivado por esse sentimento é em si vazio e sem significado. Concluiu

[1]João 13:35.

que, na última cena do drama humano, somente três características permanecerão: "a fé, a esperança e o amor, estes três; porém o maior destes é o amor".[2]

Se concluímos que a palavra amor permeia a sociedade humana, tanto no passado como no presente, devemos admitir que ela também é uma das mais confusas. Nós a utilizamos em milhares de formas e dizemos: "Eu amo cachorro-quente!" e, em outra frase: "Eu amo minha mãe!". Nós a usamos para descrever atividades que apreciamos: nadar, patinar e caçar; amamos objetos: comida, carros e casas; amamos animais: cachorros, gatos e tartarugas; amamos a natureza: árvores, grama, flores e estações; amamos pessoas: mãe, pai, filhos, esposa, marido e amigos. Chegamos até a nos apaixonar pelo próprio amor.

Como se isso tudo não fosse bastante confuso, também usamos a palavra amor para explicar determinados comportamentos: "Agi dessa forma porque a amo". Essa explicação muitas vezes é usada como desculpa. Um homem que se envolve em adultério chama esse relacionamento de amor. O pastor, por sua vez, chama-o de pecado. A esposa de um alcoólatra recolhe os "cacos" da última "cena" de seu marido. Ela chama essa atitude de amor; os psiquiatras, porém, tratam-na como co-dependente. Um pai que atende a todos os desejos do filho também chama essa atitude de amor; um terapeuta familiar chamaria de paternidade irresponsável. Afinal, o que é um comportamento amoroso?

[2]1Coríntios 13:13.

O propósito deste livro não é desfazer a confusão que gira em torno desse sublime sentimento, mas focalizar o tipo de amor essencial a nossa saúde emocional. Os psicólogos infantis afirmam que toda criança possui necessidades emocionais básicas que devem ser supridas para que se possa atingir uma estabilidade emocional. Entre elas, nenhuma é tão essencial quanto o amor, a afeição e a necessidade de alguém sentir que pertence a outro e é querido. Com afeição, uma criança será um adulto responsável. Sem esse amor essencial, ele ou ela ficará emocional e socialmente atrofiado.

Gostei muito desta metáfora no momento em que a ouvi: "Dentro de cada criança há um 'tanque emocional' à espera de ser cheio com amor. Se ela se sentir amada, vai se desenvolver normalmente; porém, se seu 'Tanque do Amor' estiver vazio, ela apresentará muitas dificuldades. Diversos problemas de comportamento de uma criança provêm do fato de seu 'Tanque do Amor' estar vazio". Ouvi essa metáfora do dr. Ross Campbell, um psiquiatra especializado no tratamento de crianças e adolescentes.

Enquanto eu o ouvia falar, pensei nas centenas de pais que desfilavam , em meu consultório, as inúmeras reclamações sobre seus filhos. Até então, eu nunca pensara em uma criança daquelas como um "Tanque do Amor" vazio, mas sem dúvida via os resultados dessa situação. Os problemas de comportamento apresentados eram uma forma de procurar o amor que não recebiam. As crianças buscavam o amor nos lugares e nas formas erradas.

Lembrei-me de Ashley que, aos 13 anos, estava se tratando de uma doença sexualmente transmissível. Seus pais estavam

> No âmago da existência
> do ser humano encontra-se
> o desejo de intimidade
> e de ser amado.
> O casamento foi idealizado
> para suprir essas necessidades.

chocados, ficaram exasperados com a filha e muito bravos com a escola, que culpavam por ensinar sobre sexo. "Por que ela fez isso?", perguntavam.

Em minha conversa com Ashley, ela me falou do divórcio de seus pais, quando tinha apenas seis anos. "Eu pensei que meu pai tinha ido embora porque não gostava de mim! Quando minha mãe se casou novamente, eu tinha dez anos. Então pensei que tinha quem a amasse, e eu não tinha ninguém. Eu desejava tanto ser amada por alguém! Então conheci aquele garoto na escola. Ele era bem mais velho, mas gostava de mim! Eu não conseguia acreditar! Ele era muito gentil comigo e, por um tempo, acreditei que ele realmente gostava de mim. Eu não queria fazer sexo, mas desejava desesperadamente ser amada!".

O "Tanque do Amor" de Ashley ficou vazio durante muitos anos. Sua mãe e seu padrasto providenciavam tudo de que ela necessitava em termos materiais, mas não perceberam a enorme carência emocional que havia dentro dela. Eles certamente a amavam e achavam que ela se sentia amada por eles. Era quase tarde demais quando descobriram que não falavam a primeira linguagem do amor de Ashley.

A necessidade de alguém ser amado emocionalmente, no entanto, não é uma característica infantil. Ela nos segue pela vida adulta, inclusive no casamento. Quando nos apaixonamos, essa necessidade é temporariamente suprida, mas ela se torna um "quebra-galho" e, como acabamos descobrindo mais tarde, com duração limitada e até prevista. Após despencarmos dos píncaros da paixão, a necessidade emocional de ser amado ressurge porque é inerente à nossa natureza. Está no cerne de nossos desejos emocionais, precisamos do amor antes de nos apaixonarmos e continuaremos a necessitar dele enquanto vivermos.

A necessidade de sermos amados por nosso cônjuge está na essência dos anseios conjugais. Recentemente, certo cidadão me disse: "De que adianta ter mansão, carros, casa na praia e tudo o mais, se sua esposa não o ama?!".

Podemos entender o que ele realmente desejava dizer? Era: "Mais do que tudo, eu desejo ser amado por minha esposa!".

As coisas materiais não podem substituir o amor humano e emocional. Uma esposa disse, certa vez: "Ele me ignora o dia inteirinho, mas à noite quer fazer sexo comigo. Eu odeio isso!".

Ela não odeia sexo, mas precisa desesperadamente do amor emocional.

Alguma coisa em nossa natureza clama por ser amado ou amada. O isolamento é devastador para a psique humana. É por esse motivo que o confinamento é considerado a mais cruel das punições. No âmago de nossa existência há o íntimo desejo de sermos amados. O casamento foi idealizado para atingir essa necessidade de intimidade e de amor. Por esse motivo os antigos registros bíblicos dizem que o homem e a mulher tornam-se uma só carne. Isso não significa que as pessoas perderão suas identidades; quer dizer que ambos entrarão na vida um do outro, de forma íntima e profunda.

O Novo Testamento desafia o marido e a esposa a amar um ao outro. De Platão a Peck os escritores enfatizaram a importância do amor no casamento.

No entanto, esse amor tão importante é também "escorregadio". Tenho ouvido a confissão de muitos casais falando suas queixas secretas. Alguns chegam a mim porque a dor interior tornou-se praticamente insuportável; outros porque percebem que o comportamento que assumem perante as falhas do cônjuge poderá levar o casamento à destruição. Há também os que simplesmente vêm para falar que não querem mais continuar casados. Seus sonhos de "viver felizes para sempre" espatifaram-se contra o duro muro da realidade. Repetidas vezes ouço as palavras: "Nosso amor terminou. O relacionamento morreu. Nós nos sentíamos próximos um do outro, mas agora isso não existe mais. Não gostamos mais de ficar juntos. Não nos completamos mais um ao outro".

Essas histórias comprovam que tanto os adultos como as crianças possuem "tanques de amor".

Será que lá no interior de cada um desses casais feridos existe um indicador invisível de um "tanque" vazio? Será que esses comportamentos inadequados, separações, palavras duras e espírito crítico acontecem em vista desse "tanque" vazio? Se pudéssemos achar uma forma de enchê-lo, será que o casamento renasceria? O "tanque" cheio possibilitaria aos casais criar um clima emocional para que seja possível discutir as diferenças e resolver os conflitos? Será que esse "tanque" é a chave para que um casamento perdure?

Essas perguntas levaram-me a uma longa viagem. Em plena estrada descobri os simples, porém poderosos, pontos de vista registrados neste livro. Essa caminhada levou-me não somente através de mais de vinte anos de aconselhamento conjugal, mas também às mentes e aos corações de centenas de casais através da América do Norte. Fui convidado a adentrar no recôndito do casamento de vários casais, e conversamos abertamente. As histórias apresentadas neste livro foram extraídas da vida real. Os nomes e lugares foram trocados para proteger a privacidade das pessoas que falaram com total liberdade.

Estou convencido de que manter cheio o "Tanque do Amor" do casamento é tão importante quanto manter o nível do óleo de um automóvel. Levar um casamento com o "Tanque do Amor" vazio pod e ser até mais difícil do que tentar dirigir um carro sem combustível. O que você descobrirá nesta obra tem o potencial de salvar milhares de casamentos e pode também melhorar o clima emocional de um matrimônio que já esteja indo bem. Qualquer que seja a qualidade de seu casamento, ela sempre pode melhorar.

Advertência: Compreender as cinco linguagens do amor e aprender a falar a primeira linguagem do amor de seu cônjuge pode alterar completamente o comportamento dele. As pessoas relacionam-se de forma diferente quando seu "Tanque do Amor" está cheio.

Antes de examinarmos as cinco linguagens do amor, precisamos abordar outro fenômeno importante porém confuso: A eufórica experiência de apaixonar-se.

3
Apaixonando-se

Ela chegou ao meu escritório sem hora marcada e perguntou à secretária se poderia falar comigo durante cinco minutos. Eu conhecia Janice há muito tempo. Ela tinha 36 anos e não havia se casado. Havia namorado vários rapazes ao longo dos anos: um deles durante seis anos, outro durante três e diversos por breves períodos de tempo. De vez em quando ela marcava uma consulta comigo para conversar sobre alguma dificuldade específica que estivesse atravessando em algum de seus relacionamentos. Ela era, por natureza, disciplinada, consciente, organizada, reflexiva e cuidadosa. Não fazia parte de seu temperamento aparecer em meu escritório sem hora marcada. Eu pensei: "Só uma crise terrível faria Janice vir aqui sem marcar hora!". Então, disse à minha secretária que a deixasse entrar. Eu realmente esperava vê-la debulhada em lágrimas, contando-me alguma trágica experiência logo ao abrir a porta. No entanto, ela literalmente saltou para dentro da sala, gritando animadamente. Perguntei-lhe:

— Como vai, Janice?

— Ótima! Nunca estive tão bem em toda minha vida! Vou me casar!

— É mesmo? (Eu disse demonstrando minha surpresa!) — Com quem? Quando?

— Com David Gallespie, em setembro.

— Isso é maravilhoso! Há quanto tempo vocês estão namorando?

— Três semanas. Sei que é loucura, dr. Chapman, depois de ter tido outros namorados e de tantas vezes ter chegado perto do casamento. Eu mesma não consigo acreditar, mas sei que o David é o rapaz certo para mim! Pela primeira vez, nós dois descobrimos isso juntos. É claro que não falamos sobre esse assunto na primeira vez que saímos, mas uma semana depois ele me pediu em casamento. Eu sabia que ele me pediria e eu aceitaria. Nunca me senti assim antes, dr. Chapman. O senhor conhece os relacionamentos que tive nesses anos todos e as lutas que enfrentei. Em cada um deles, alguma coisa não dava certo. Nunca tive a certeza de que deveria me casar com algum deles, mas agora sei que David é a pessoa preparada por Deus!

Nesse momento Janice balançava-se para frente e para trás em sua cadeira, rindo e dizendo:

— Sei que parece loucura, mas estou tão feliz! Nunca estive tão feliz em toda a minha vida.

O que estava acontecendo com Janice? Ela estava apaixonada. Em sua mente, David era o homem mais maravilhoso que ela já conhecera. Ele era perfeito em todas as formas e também se tornaria o marido ideal. Ela pensava nele dia e noite. O fato de David já ter sido casado duas vezes, ter três filhos e ter passado, somente no ano anterior, por três empregos diferentes não lhe importava. Ela estava feliz e convencida de que seria feliz para sempre ao lado dele. Ela estava apaixonada.

A maioria de nós entra para o casamento pela porta do amor. Nós conhecemos alguém com características físicas e traços de personalidade que disparam nosso sistema de alerta. Os sinos tocam, e iniciamos o processo da descoberta de quem é aquela pessoa. No primeiro encontro pode ser servido um hambúrguer ou um belo churrasco, dependendo do nosso orçamento, mas nosso real interesse não é a comida. Entramos em uma empreitada para conhecer o amor. "Será que esse sentimento ardente, borbulhante dentro de mim pode ser algo real?"

Algumas vezes essas borbulhas desaparecem logo no primeiro encontro, ao descobrirmos que ela, ou ele, funga. Dessa forma, as borbulhas escorregam entre nossos dedos e não queremos mais comer hambúrguer com aquela pessoa. Outras vezes, porém, as borbulhas aumentam mais ainda, após aquele lanche. Marcamos vários outros encontros e, pouco tempo depois, o nível de intensidade chega a ponto de afirmarmos: "Acho que estou apaixonada (o)!". Pensando que o sentimento é real, contamos à outra pessoa esperando que isso seja recíproco. Se não for, as coisas esfriam, ou então redobramos nossos esforços para impressionar e acabamos, por fim, conquistando o amor do ser amado. Quando há reciprocidade começamos a falar sobre casamento, porque todos concordam que estar apaixonado é uma base necessária para se manter um bom casamento.

> Nossos sonhos, antes de nos casarmos, são de êxtase conjugal... É difícil pensar em qualquer outra coisa quando estamos apaixonados.

Nesse patamar, estar apaixonado é uma experiência de euforia. Um fica emocionalmente obcecado pelo outro. Dorme-se pensando nele (nela). Levanta-se e aquela pessoa é a primeira coisa que nos vem à mente. Ansiamos por estar juntos. Passar o tempo com o outro é como estar na antecâmara do céu. Quando andamos de mãos dadas, é como se nossos corações batessem no mesmo compasso. Beijaríamos um ao outro para sempre, se não tivéssemos de ir à escola ou ao trabalho. O abraço estimula sonhos de casamento e êxtase.

O rapaz apaixonado tem a ilusão de que sua amada é perfeita. A mãe pode ver falhas, mas ele, não. A mãe diz:

— Querido, você já considerou o fato de ela ter passado por tratamento psiquiátrico durante cinco anos?

Ele, porém, reage:

— Oh, mãe, dá um tempo! Já faz três meses que ela recebeu alta.

Seus amigos também vêem algumas falhas, mas não se atrevem a dizer nada, a menos que ele peça. As chances disso acontecer são nulas porque, em sua cabeça, ela é perfeita, e o que os outros pensam não lhe importa.

Nossos sonhos, antes de nos casarmos, são de êxtase conjugal: "Vamos fazer um ao outro superfelizes. Outros casais podem discutir e brigar, mas isso não acontecerá conosco! Nós nos amamos". Naturalmente, não nos enganamos de todo. Sabemos, ao utilizar o racional, que teremos algumas diferenças, porém temos certeza de que conversaremos com franqueza sobre elas, um de nós cederá e assim chegaremos a um denominador comum. É muito difícil pensar algo diferente quando se vive um clima de paixão.

Somos levados a acreditar que, se de fato estivermos apaixonados, esse amor durará para sempre. Os maravilhosos sentimentos dos quais partilhamos no momento nos acompanharão até o fim da vida. Nada se colocará entre nós. Estamos enamorados e aprisionados pela beleza e charme da personalidade um do outro. Nosso amor é a melhor coisa que já desfrutamos. Notamos que alguns casais chegaram a perder esse sentimento, mas isso nunca acontecerá conosco. Fazemos, portanto, a seguinte afirmação: "É possível que eles nunca tenham sentido um amor verdadeiro como o nosso!".

Infelizmente, a eternidade da paixão é uma ficção e não um fato. A psicóloga Dorothy Tennov desenvolveu longos estudos sobre esse fenômeno. Após estudar os comportamentos entre os casais, ela concluiu que a obsessão romântica dura, em média, dois anos. Se a paixão foi um fruto proibido, talvez dure um pouco mais. Todos nós acabamos descendo das nuvens e pisamos em terra firme novamente. Nossos olhos abrem-se e passamos a enxergar as "verrugas" da outra pessoa. Descobrimos que alguns de seus traços de personalidade são realmente irritantes. Seus padrões de comportamento nos aborrecem. Elas também têm capacidade de magoar e irar-se, usam palavras duras e fazem julgamentos críticos. Esses traços que não percebemos quando estávamos apaixonados tornam-se agora enormes montanhas. Então nos recordamos das palavras ditas por nossa mãe e nos perguntamos: "Como pude ser tão tolo?".

Bem-vindos ao mundo real do casamento, onde sempre haverá fios de cabelo na pia e respingos brancos de creme dental no espelho; ocorrem discussões por causa do lado em que se deve colocar o papel higiênico: se a folha deve ser puxada por baixo ou por cima; a um mundo onde os sapatos não andam até o guarda-roupa e as gavetas não fecham sozinhas; onde os casacos não gostam de cabides e os pés de meia somem quando vão para a máquina de lavar. Nesse mundo, um olhar pode machucar, uma palavra pode quebrar. Amantes podem tornar-se inimigos e o casamento um campo de batalha sem trégua.

O que aconteceu com a paixão? Que coisa! Foi uma ilusão que nos enganou e levou a assinar o nome na linha pontilhada... na alegria e na tristeza. Não é de admirar que tantos amaldiçoem o casamento e o ex-cônjuge, a quem um dia amaram. Além disso, se fomos enganados, temos o direito de ficar bravos. Será que foi realmente amor? Acho que sim. O problema é que houve falta de informação.

A principal falha na informação é o falso conceito de que a paixão dura para sempre. Deveríamos saber disso. Uma simples observação é o bastante para concluirmos que, se as pessoas permanecessem obcecadas pela paixão, estaríamos em grandes apuros. As ondas da paixão iriam de encontro aos negócios, à indústria, à igreja, à educação e ao restante da sociedade. Por quê? Porque pessoas apaixonadas perdem o interesse nas outras coisas. Por esse motivo também chamamos a paixão de obsessão. O estudante que entra em uma "paixão avassaladora" vê suas notas despencar. É difícil concentrar-se nos estudos quando se está apaixonado. Amanhã vai cair na prova a Segunda Guerra Mundial. Mas quem se importa com essa guerra? Quando se está apaixonado (a), tudo o mais parece irrelevante. Um senhor me disse:

— Dr. Chapman, meu trabalho é estafante!

Eu, então, lhe perguntei:

— O que você quer dizer com isso?

— Eu conheci uma garota, apaixonei-me por ela e desde então não consigo fazer mais nada! Não consigo me concentrar no trabalho. Fico o dia inteiro sonhando com ela!

A euforia do estado de paixão concede-nos a ilusão de que estamos em um relacionamento bem íntimo. Sentimos como se nos pertencêssemos um ao outro. Passamos a pensar que somos capazes de enfrentar qualquer problema que surja. Sentimo-nos altruístas em relação ao outro. Um jovem disse a respeito de sua noiva: "Não consigo nem pensar em fazer algo que a magoe. Meu único desejo é vê-la feliz!"

Essa obsessão dá-nos o falso sentimento de que nossas atitudes egocêntricas foram erradicadas e nos tornamos uma "Madre Teresa de Calcutá", de tão desejosos de fazer qualquer coisa para o bem de nosso(a) amado(a). A razão pela qual nos sentimos tão à vontade para fazer tais coisas deve-se ao fato de acreditarmos sinceramente que a pessoa por quem estamos apaixonados sente o mesmo que nós. Cremos que ela também está comprometida em suprir nossas necessidades, e ama-nos tanto quanto a amamos e não fará nada para nos magoar.

Esse modo de pensar é realmente uma utopia. Não é que sejamos hipócritas sobre o que pensamos e sentimos, mas estamos dominados por expectativas irreais. Cometemos um erro de avaliação da natureza humana. Geralmente somos egoístas; nosso mundo resume-se em nós mesmos. Ninguém é totalmente altruísta. A euforia da paixão é que estabelece essa ilusão.

Uma vez que a experiência da paixão tenha seguido seu rumo normal (é bom lembrar que, em média, a paixão dura por volta de dois anos), retornamos ao mundo real e começamos a nos impor. Ele expressa seus desejos, mas são diferentes dos dela. Ele deseja sexo, mas ela está muito cansada! Ele quer comprar um carro novo, mas ela diz que essa idéia é um absurdo. Ela quer visitar os pais, mas ele diz que não quer ficar com a família dela. Ele quer jogar futebol, mas ela diz: "Você gosta mais de futebol do que de mim!!". Pouco a pouco a ilusão da intimidade dilui-se e os desejos individuais, as emoções, os pensamentos e os padrões de comportamento assumem seus lugares. Eles se tornam duas pessoas. Suas mentes não se fundiram em uma só, e suas emoções misturaram-se superficialmente no oceano do amor. Agora as ondas da realidade começam a separá-los. Eles saem do domínio da paixão, e nesse ponto muitos desistem e separam-se,

> A experiência da paixão não visa a nosso crescimento, nem ao crescimento e desenvolvimento do cônjuge, e dificilmente fornece o senso de realização.

divorciam-se e partem em busca de uma nova paixão; ou então desenvolvem o árduo trabalho de aprender a amar sem a euforia da paixão.

Alguns pesquisadores, entre eles o psiquiatra M. Scott Peck e a psicóloga Dorothy Tennov, chegaram à conclusão de que a experiência da paixão não deveria, de forma alguma, ser chamada de amor. O dr. Peck concluiu que a paixão não é amor verdadeiro, por três razões:

Primeira, apaixonar-se não é um ato da vontade nem uma escolha consciente. Não importa o quanto desejemos, não conseguimos nos apaixonar por vontade. No entanto, mesmo que não estejamos buscando essa experiência, ela pode simplesmente acontecer em nossa vida. Muitas vezes nos apaixonamos no momento errado e pela pessoa errada!

Segunda, apaixonar-se não é amor verdadeiro porque não implica nenhuma participação de nossa parte. Tudo que fazemos quando estamos apaixonados exige pouca disciplina e esforço. Os longos e dispendiosos telefonemas, as despensas em viagens para ficarmos juntos, os presentes e todo o trabalho envolvido nada representam. Da mesma forma que os pássaros constroem instintivamente os ninhos, a natureza da pessoa apaixonada leva a atos inusitados e pouco naturais para o outro.

Terceira, a pessoa apaixonada não está, de fato, interessada em incentivar o crescimento pessoal daquela por quem nutre sua paixão. "Se temos algum propósito em mente ao nos apaixonarmos é acabar com nossa solidão e, talvez, assegurar essa solução com o casamento".[1] A paixão não visa a nosso crescimento pessoal, tampouco o da pessoa amada. Pelo contrário, a sensação é de que chegamos aonde deveríamos, e não é necessário crescer mais. Nós nos encontramos no ápice da felicidade, e nosso único desejo é continuar lá, e nosso(a) amado(a), naturalmente, também não precisa mais crescer, pois já é perfeito(a). Esperamos somente que mantenha essa perfeição.

[1] M. Scott PECK, *A trilha menos percorrida*, Rio de Janeiro: Record, 2002.

Se a paixão não é amor, então o que é? Segundo dr. Peck, "é um componente instintivo e geneticamente determinado do comportamento de acasalamento. Em outras palavras, um colapso temporário das reservas do ego que constituem o apaixonar-se; é uma reação estereotipada do ser humano a uma configuração de tendências sexuais internas e estimulações sexuais externas, as quais se designam ao crescimento da probabilidade da união e elo sexual, tendo em vista a perpetuação da espécie"[2].

Quer concordemos, quer não com essa conclusão, aqueles que se apaixonaram e já saíram desse estado concluirão que essa experiência nos lança a uma órbita emocional diferente de tudo que porventura experimentamos. A tendência é o rompimento com a razão, o que nos leva a fazer e dizer coisas que nunca faríamos, ou diríamos, em momentos de sobriedade. De fato, quando saímos desse estado de paixão, nos perguntamos como fomos capazes de fazer tais coisas. Quando a onda da emoção passa e voltamos ao mundo real, onde as diferenças são notórias, quantos já não se perguntaram: "Por que me casei? Não combinamos em nada!". No entanto, no auge da paixão pensávamos que combinávamos em tudo — pelo menos, em tudo que era importante.

Isso significa que, por termos sido "fisgados" na ilusão da paixão, nos encontramos diante de duas opções: 1) estamos destinados a uma vida terrível com nosso cônjuge; 2) devemos nos separar e tentar novamente? Nossa geração tem optado

[2]Ibid., 90.

pela última, ao passo que a anterior escolheu a primeira. Antes de concluirmos de imediato que fizemos a melhor escolha, devemos examinar os dados. Nos Estados Unidos, hoje 40% do primeiro casamento, 60% do segundo e 75% do terceiro terminam em divórcio. Pelo que se pode ver, a perspectiva de segundo e terceiro casamentos felizes não é muito atingida.

As pesquisas realizadas parecem indicar que existe uma terceira e melhor alternativa: reconhecer o que é a paixão — um pico emocional temporário — e desenvolver o amor verdadeiro com nosso cônjuge. Esse tipo de sentimento é de natureza emocional, mas não obsessivo. É o amor que une razão e emoção, envolve um ato da vontade e requer disciplina, pois reconhece a necessidade de um crescimento pessoal. Nossa necessidade emocional básica não é nos apaixonarmos, mas ser verdadeiramente amado(a) pelo outro; é conhecer o amor que cresce sobre os pilares da razão e da escolha, não do instinto. Precisamos ser amados por alguém que nos escolheu amar, que vê em nós algo digno de ser amado.

Esse tipo de amor exige esforço e disciplina. É a escolha que fazemos de usar nossa energia em benefício da outra pessoa, sabendo que, se a vida dela for enriquecida por nosso esforço, nos sentimos satisfeitos — a satisfação de termos realmente amado alguém. Não exige a euforia da experiência da paixão. Para falar a verdade, o amor verdadeiro não começa enquanto a experiência da paixão não tiver seguido seu curso. Amor racional, volitivo, *é o tipo de* amor para o qual os sábios nos conclamam.

Não se deve levar em consideração os atos de bondade praticados por alguém que se encontre sob a influência da paixão obsessiva. Uma força instintiva impulsiona e suscita ações que vão além do comportamento normal. Mas um retorno ao mundo real, onde se inclui a escolha humana, permite optar por sermos gentis e generosos, o que é o amor verdadeiro.

A necessidade emocional de amor deve ser suprida se formos emocionalmente saudáveis. As pessoas casadas desejam sentir-se amadas por seus cônjuges. Nós nos sentimos seguros quando o cônjuge nos aceita, deseja e está comprometido com nosso bem-estar. Durante o estágio da paixão, sentimos todas essas emoções; é fantástico enquanto dura. Nosso erro é achar que ela nunca acabará.

Essa obsessão, no entanto, não dura para sempre. Se fizermos um paralelo com o livro, podemos chamá-la de prefácio do casamento. O âmago desta obra é o amor racional e volitivo. Esse é o tipo para o qual os sábios sempre nos conclamam. É o amor intencional.

Essa é uma boa notícia aos casais que perderam o sentimento de paixão. Se o amor é uma opção, então eles são capazes de amar após a experiência da paixão ter passado e eles terem regressarem ao mundo real. Esse tipo de amor inicia-se com uma atitude: o modo de pensar. Amor é a atitude que diz: "Sou casado(a) com você e escolho lutar por seus interesses!". Então, aqueles que escolhem amar encontrarão boas formas para demonstrar essa decisão. Alguém pode dizer: "Isso parece tão estéril! Amor como atitude e com comportamento adequado? Onde estão as estrelas cadentes e as fortes emoções? Onde ficam a ansiedade do encontro, a piscada de olho, a eletricidade do beijo e o entusiasmo do sexo? E a segurança emocional de saber que ocupamos o primeiro lugar na mente da outra pessoa?". Este livro é exatamente sobre isso. Como suprir as profundas necessidades de amor de uma pessoa? Se aprendermos e optarmos por isso, o amor que compartilharmos vai ser melhor do que qualquer coisa que sentimos quando dominados pela paixão.

Durante vários anos tenho compartilhado o conceito das cinco linguagens do amor em meus seminários e nas sessões de aconselhamento. Milhares de casais atestarão a validade do que você descobrirá pela leitura desta obra. Meus arquivos estão lotados de cartas de pessoas com quem nunca me encontrei, relatando que um amigo "me emprestou uma de suas fitas sobre as linguagens do amor e sua mensagem revolucionou meu casamento. Tentamos há anos nos amar, mas não conseguíamos. Agora que falamos as linguagens adequadas do amor, o clima emocional de nosso casamento melhorou muito!".

Quando o "Tanque do Amor" emocional de seu cônjuge está cheio e ele se sente seguro de seu amor, o mundo se ilumina e ele caminha para atingir o mais alto potencial de sua vida. Mas, quando esse "reservatório" está vazio e ele se sente usado e não amado, o mundo todo parece escuro e ele não conseguirá utilizar seu potencial de vida. Nos próximos cinco capítulos explicarei as cinco linguagens emocionais do amor e, no Capítulo 9, ilustrarei como descobri-las, pois podem tornar seu esforço de amar mais produtivo.

Palavras de afirmação

Tempo de qualidade
Presentes
Atos de serviço
Toque físico

4
Primeira linguagem do amor: Palavras de afirmação

Mark Twain disse: "Um bom elogio pode me manter vivo durante dois meses". Se tomarmos suas palavras ao pé da letra, seis elogios por ano manteriam seu "Tanque do Amor" em nível operacional. Sua esposa, porém, provavelmente precisará de mais do que isso.

Uma forma de expressar o amor emocional é utilizar palavras que edificam. Salomão, um dos escritores da Bíblia, escreveu: "A morte e a vida estão no poder da língua; o que bem a utiliza come do seu fruto".[1] Muitos casais não aprenderam o tremendo poder de uma afirmação. Mais tarde, este rei acrescentou: "A ansiedade no coração do homem o abate, mas a boa palavra o alegra".[2]

Elogios e palavras de admiração são poderosos comunicadores do amor. São os melhores comunicados em forma de expressão direta e simples, como: "Você ficou muito elegante com este terno!", "Você ficou ótima com este vestido!", "Ninguém

[1]Provérbios 18:21.
[2]Provérbios 12:25.

faz este prato melhor que você!", "Querido, muito obrigada por ter lavado a louça para mim esta noite!".

"Muito obrigada por pagar mais um dia da faxineira nesta semana. Quero que saiba que estou realmente grata!", "Muito obrigado por ter feito um jantar tão gostoso!". O que deverá acontecer ao clima emocional do casamento se o marido e a mulher ouvirem essas palavras de afirmação com freqüência?

Anos atrás, a porta do meu consultório estava aberta, e uma senhora apareceu de repente e perguntou-me:

— O senhor tem um minuto?

— Sim, claro — respondi.

Ela se sentou e disse:

— Dr. Chapman, estou com um problema. Não consigo fazer meu marido pintar nosso quarto. Há nove meses eu lhe peço diariamente, mas não tem adiantado. Já tentei tudo o que podia, mas não há jeito.

Meu primeiro pensamento foi: "Minha senhora, parece que você bateu na porta errada. Não temos pintores aqui". No entanto, virei-me para ela e disse:

— Fale-me sobre isso.

Ela começou a contar:

— Bem, sábado passado foi um grande exemplo. O senhor se lembra como estava lindo? Sabe o que meu marido fez o dia inteiro? Lavou e encerou o carro.

— E o que a senhora fez?

— Fui à garagem e disse:

— Bob, não consigo entender você. Hoje o dia está perfeito para pintar o quarto, e você está lavando e encerando o carro!

— E seu comentário deu certo? Ele foi pintar o quarto?

— Não. O quarto está do mesmo jeito, sem pintura. Não sei mais o que fazer!

— Deixe-me fazer uma pergunta: A senhora tem alguma coisa contra carros limpos e encerados?

— Não, mas quero que pintem meu quarto!

— A senhora tem certeza de que seu marido sabe que a senhora gostaria que ele pintasse o quarto?

— Tenho certeza absoluta. Tenho pedido isso a ele durante nove meses.

— Deixe-me fazer-lhe mais uma pergunta: Seu marido faz alguma coisa bem feita?

— Como o quê?

— Coisas como recolher o lixo, limpar os vidros de seu carro, abastecer o automóvel, pagar a conta de luz, ajudá-la a vestir um casaco etc.

— Sim, ele faz muito bem algumas dessas coisas.

— Então, tenho duas sugestões. Primeira, nunca mais mencione a pintura do quarto. Esqueça e jamais fale com ele sobre isso.

Ela olhou para mim e disse:

— Não vejo em que isso pode ajudar!

— Escute, a senhora acabou de dizer que ele já sabe qual é seu desejo: gostaria que ele pintasse o quarto. Não é mais preciso dizer-lhe isso. Ele já sabe. A segunda sugestão é: na próxima vez que seu marido fizer alguma coisa bem feita, elogie. Se ele levar o lixo para fora, diga algo como: "Bob, estou muito grata por ter levado o lixo para fora". Jamais diga:

"Se demorasse mais para levar esse lixo para fora, as moscas fariam isso por você!". Quando ele pegar as contas para pagar, diga algo como:

"Obrigada por pagar nossas contas; há maridos que não fazem isso. Quero que saiba que sou realmente muita grata!". Todas as vezes que ele fizer algo de bom, elogie-o.

— Não vejo como isso pode fazer com que ele pinte o quarto!

— A senhora pediu meu conselho, foi o que fiz. Faça como achar melhor!

> O objetivo do amor não é você conseguir algo que deseja, mas fazer alguma coisa pelo bem-estar de quem ama. No entanto, sabe-se que, quando recebemos elogios, ficamos mais dispostos a retribuir a gentileza.

Ela não estava muito satisfeita comigo quando foi embora. Três semanas depois ela voltou a meu consultório e disse:

— Deu certo!

Ela aprendeu que os elogios são realmente motivadores.

Não sugiro que bajule seu cônjuge para conseguir o que deseja. O objetivo do amor não é obter o que se quer, mas fazer algo pelo bem-estar daquele a quem se ama. É verdade, porém, que ao ouvirmos elogios, palavras de afirmação, nós nos tornamos mais motivados a ser recíprocos e fazer algo que nosso cônjuge deseje.

PALAVRAS ENCORAJADORAS

O elogio é uma entre as muitas formas de expressar palavras de afirmação ao cônjuge. Outra forma são as palavras encorajadoras. Encorajar significa "inspirar coragem". Em determinadas fases da vida todos nós nos sentimos inseguros. Não temos a coragem necessária, e esse medo nos impede de realizar certas ações positivas que gostaríamos de concretizar. O potencial latente de seu cônjuge, nessas áreas de instabilidade, talvez espere suas palavras de encorajamento.

Allison sempre gostou de escrever. Na faculdade, fez alguns cursos de jornalismo. Percebeu rapidamente que seu entusiasmo em escrever superava, em muito, seu interesse pela História, curso que estava estudando. Já era muito tarde para mudar de faculdade, mas, após se formar e antes de ter o primeiro filho, ela escreveu vários artigos. Apresentou um deles à redação de uma revista. Como foi recusado, Allison não teve mais coragem de tentar novamente em outro lugar. Agora, com os filhos já mais velhos e, com um pouco mais de tempo, ela resolveu voltar a escrever.

O marido de Allison, Robert, prestara pouca atenção nos artigos dela nos primeiros anos de casamento. Tinha se ocupado de sua própria carreira, pois desejava galgar todos os degraus de sua empresa. Em tempo, Robert percebeu que o real significado da vida não estava nas realizações mas nos relacionamentos. Ele aprendeu a dar mais valor para Allison e aos interesses dela. Nesse ritmo, foi natural que, em uma das noites, ele lesse um dos artigos escritos pela esposa. Ao terminar, dirigiu-se para onde Allison lia um livro. Muito entusiasmado, ele disse:

— Desculpe-me por interromper sua leitura, mas eu tenho de dizer uma coisa: Acabei de ler seu artigo "Aproveite seu Feriado". Você é uma excelente escritora; precisa ser publicado.

Você escreve com clareza, usando palavras que levam a uma visualização do que está sendo descrito. Seu estilo é fascinante. Você tem de levar este artigo para algumas revistas.

— Você acha mesmo? — ela perguntou um pouco hesitante.

— Acho sim! É muito bom mesmo! Quando Robert saiu da sala, ela não continuou a leitura. O livro ficou aberto em seu colo, e ela sonhou acordada durante meia hora sobre o que o marido acabara de falar. Quis saber se outras pessoas veriam seu artigo da mesma forma que ele. Lembrou-se de quando lhe enviaram um fax em agradecimento ao artigo, porém dispensando-o. Mas agora era diferente. Seus textos estavam melhores. Ela havia amadurecido. Antes que levantasse para pegar um copo d'água, tomou uma decisão. Levaria seus artigos para a avaliação em algumas revistas, em busca de ser publicados.

Há catorze anos Robert pronunciou essas palavras encorajadoras. Allison já publicou vários artigos e já tem um contrato. É uma excelente escritora, mas foram as palavras encorajadoras de seu marido que a inspiraram e impulsionaram a dar o primeiro passo no árduo processo de ter um artigo publicado.

Talvez seu cônjuge possua uma qualidade que tenha grande potencial, mas que esteja adormecida. Aquela capacidade talvez aguarde suas palavras encorajadoras.

Quem sabe seja preciso que seu cônjuge se matricule em algum curso para desenvolver esse potencial; talvez seja necessário que ele tenha uma reunião com alguém da área desejada para obter algumas dicas de seu próximo passo. Suas palavras podem dar a coragem necessária para seu cônjuge ir em busca de seu sonho.

Veja que não estou dizendo para pressionar seu cônjuge a fazer alguma coisa que você queira que ele realize. Oriento sobre como encorajá-lo a desenvolver alguma aptidão que ele já possua. Por exemplo, há maridos que pressionam a esposa a fazer regime. Eles dizem que as encorajam, mas elas o sentem como condenação. Somente quando a pessoa, por si, decide perder peso é que você deve encorajá-la. Até que esse desejo seja dela, suas palavras pesarão como um sermão. E muito raro esse tipo de discurso encora-jador, pois soa mais como jul-gamento, destinado a estimular a culpa; não expressa amor, mas rejeição.

> O encorajamento exige empatia que nos leva a enxergar o mundo sob a perspectiva de nosso cônjuge. Devemos, em primeiro lugar, procurar saber o que é importante para ele.

Se, no entanto, seu cônjuge lhe disser: "Estou pensando em fazer uma dieta no verão!", aí, então, você terá a oportunidade de lhe dizer palavras encorajadoras como: "Se você fizer a die-ta, tenho certeza de que será um sucesso! Essa é uma das coisas que gosto em você: quando decide alguma coisa, dá um jeito de realizar. Se você realmente quer fazer a dieta, farei o máxi-mo para ajudar. E não se preocupe com o preço do tratamen-to; daremos um jeito nisso". Essas palavras vão encorajar seu cônjuge a procurar a clínica que oferece o tratamento de ema-grecimento.

O encorajamento exige solidariedade, que nos leva a ver o mundo da perspectiva de nosso cônjuge. Devemos, em pri-meiro lugar, aprender o que é importante para o cônjuge, aí então seremos capazes de encorajá-lo. O encorajamento expressa: "Eu sei e me preocupo. Estou do seu lado, como posso ajudá-lo?". É uma forma de dizer que acreditamos nele e em suas habilidades. É dar crédito e louvor.

A maioria das pessoas possui mais potencial do que imagina. O que as detém é, muitas vezes, a falta de coragem. Um cônjuge amoroso pode ser um importante catalisador. Naturalmente elaborar e dizer palavras encorajadoras é difícil. Talvez não seja sua primeira linguagem; pode ser que, para você, seja necessário grande esforço para aprender a falar essa segunda língua. Será especialmente difícil se você tiver um padrão de palavras de crítica e recriminação, mas lhe asseguro que seu esforço será recompensado.

PALAVRAS GENTIS

O amor é esplendoroso. Se desejamos comunicá-lo verbalmente, devemos utilizar palavras gentis, pois isso tem a ver com a forma pela qual nos expressamos. Uma frase pode ter dois sentidos, dependendo de como ela é falada. "Eu amo você", quando falada com gentileza e ternura, pode ser uma expressão verdadeira de amor. O que dizer da mesma frase falada da seguinte forma: "Eu amo você?". O ponto de interrogação muda todo o sentido. Algumas vezes nossas palavras querem dizer uma coisa, mas o tom de voz afirma outra completamente diferente. Enviamos mensagens dúbias. Nosso cônjuge, geralmente, interpreta a mensagem que lhe enviamos de acordo com o tom da voz e não com as palavras que usamos. "Eu faço questão de lavar a louça hoje à noite!", falada em voz cavernosa, não será recebida como expressão de amor. No entanto, podemos compartilhar mágoa, dor e até raiva de maneira doce, e essa mensagem ser uma manifestação de amor. Por exemplo: "Fiquei desapontada e magoada por você não ter oferecido ajuda nesta noite!", falada de forma honesta e gentil pode ser uma expressão de amor. A pessoa que fala quer ser conhecida por seu cônjuge. Ao compartilhar seus sentimentos, melhorará a intimidade entre os dois, solicitará uma oportunidade para conversar sobre uma dor para curá-la. A mesma palavra falada em voz alta e irritadiça não será uma expressão de amor, mas sim de recriminação e julgamento.

A maneira como falamos é extremamente importante. O rei Salomão disse com toda a sabedoria: "A resposta branda desvia o furor". Se seu cônjuge disser palavras agressivas, por estar zangado e deprimido, e você optar por ser gentil, não somente evitará responder de forma agressiva como usará palavras brandas. Receba o que ele diz como uma comunicação de seu estado emocional. Permita que ele externe sua ira, raiva e percepção da situação. Procure enxergar o ponto de vista de seu cônjuge para expressar, branda e gentilmente, sua opinião sobre o comportamento dele.

Se você não compreender o motivo da alteração do estado emocional de seu cônjuge, reconheça o erro e peça perdão. Se sua percepção do motivo não for igual à dele, explique-a de forma gentil.

Você deverá buscar compreender e reconciliar-se, sem querer provar seu ponto de vista como a única forma lógica para explicar a situação. Isso é amor maduro, o tipo que devemos aspirar se buscamos o crescimento no casamento.

O amor jamais registra uma lista de erros. Ele não traz à tona fracassos passados; ninguém é perfeito. No casamento, nem sempre fazemos o melhor ou o correto. Nossas palavras e nossos atos são duros para nossos cônjuges. Não devemos apagar o passado, devemos confessar e chegar à conclusão de que agimos mal. Devemos pedir perdão e agir de outro modo no futuro. Após confessar a falta e perdir perdão, não poderei fazer mais nada para aliviar a dor causada a meu cônjuge. Se cometo um erro com minha esposa e ela diz que se sente magoada e pede para que eu peça perdão, preciso escolher entre justiça ou perdão. Se eu escolher a justiça e tentar compensá-la, ou então fazê-la pagar por seu equívoco, farei de mim um juiz e a ela uma ré, e será impossível restaurar a intimidade. O perdão é o caminho do amor.

Fico admirado como há pessoas que misturam o dia de hoje com o de ontem. Insistem em trazer para o presente os fracassos do passado e, ao fazerem isso, estragam um dia potencialmente maravilhoso.

"Não posso acreditar que você tenha feito isso!"

"Não sei se algum dia vou esquecer isso!"

"Você não tem a mínima idéia de como me magoou!"

"Não entendo como você pode ficar aí tão tranqüilo(a) depois de me tratar desse jeito!"

"Você deveria ficar de joelhos e implorar meu perdão!"

"Não sei se vou conseguir perdoá-lo(a)!"

Essas frases não são de amor, mas de amargura, ressentimento e vingança.

A melhor coisa que podemos fazer com os fracassos do passado é torná-los história. Sim, eles ocorreram, e certamente magoaram e talvez ainda magoem, mas seu cônjuge reconheceu o erro e pediu perdão. Não conseguimos apagar o passado, mas podemos aceitá-lo como experiência de vida. Vivamos o dia de hoje livres das mágoas passadas.

O perdão não é sentimento, mas compromisso. É a opção de mostrar misericórdia, não de confrontar o ofensor com a ofensa. Perdão é uma expressão de amor.

> Se desejamos desenvolver um relacionamento precisamos saber quais são os desejos da pessoa amada. Se queremos amar e ser amados, precisamos saber como fazê-lo.

"Amo você. Preocupo-me com você e decido perdoá-lo(la). Mesmo que eu ainda fique magoado(a) por um tempo, não vou permitir que o ocorrido se coloque entre nós. Espero que possamos aprender com a experiência. Você não é um fracassado porque teve um fracasso. Você é meu marido (esposa) e vamos continuar nossa caminhada."

Essas são palavras de afirmação, faladas no dialeto das palavras gentis.

PALAVRAS HUMILDES

O amor faz solicitações, não imposições. Quando dou ordens a meu cônjuge, torno-me pai (mãe) e ele (ela) filho(a). O pai diz ao filho de 3 anos o que ele deve fazer, ou melhor, o que ele precisa realizar. Isso é necessário porque uma criança dessa idade ainda não sabe como navegar nas traiçoeiras águas da vida. No casamento, no entanto, somos iguais, parceiros adultos. Não somos perfeitos, mas adultos e parceiros. Se vamos desenvolver um relacionamento íntimo, precisamos conhecer os desejos do outro. Se quisermos amar e ser amados, precisamos saber o que ele (ela) pretende.

No entanto, a forma como expressamos esses desejos é muito importante. Se expressamos os desejos como ordens, eliminamos a possibilidade de intimidade e afugentamos nosso cônjuge. Se, no entanto, expressamos nossas necessidades e desejos como pedidos, indicaremos um caminho, mas não forçaremos ninguém até ele. O marido que diz: "Meu bem, sabe aquela torta de maçã deliciosa que você faz? Será que poderia fazer uma nesta semana? Eu amo aquela sobremesa!", fornecerá uma dica de como ela pode expressar amor e, dessa forma, os dois terão maior intimidade. No entanto, o esposo que diz: "Desde que nosso filho nasceu, você nunca mais fez aquela torta de maçã. Pelo jeito, vou ficar sem comê-la por mais dezoito anos", deixou de ser adulto e voltou a comportar-se como adolescente. Essas reclamações não constroem a intimidade.

A esposa que diz: "Você pode limpar a calha neste fim de semana?" expressa amor ao fazer uma pergunta, um pedido. No entanto, aquela que diz: "Se você não limpar logo a calha, vai acabar despencando do telhado. Já está criando brotos, que estão se espalhando por todos os lados!" não demonstra amor, mas torna-se uma mulher dominadora.

Quando alguém faz um pedido ao cônjuge, afirma as habilidades dele. Faz entender que ele possui, ou pode fazer, algo significativo ou valioso para o outro. No entanto, quando você dá ordens, torna-se tirano. Seu cônjuge não se sentirá afirmado, mas diminuído. O pedido implica o elemento escolha.

Seu parceiro pode atender ou não o pedido, porque o amor é sempre uma decisão, pois é isso que o torna significativo. Saber que meu cônjuge me ama a ponto de atender meu pedido comunica emocionalmente que ele se importa comigo, me respeita e admira, e deseja fazer algo que me agrade. Não há como desenvolver o amor emocional com intimações. É possível que o cônjuge talvez obedeça às ordens, mas isso não será uma expressão de seu amor; será uma forma de medo, culpa ou outro sentimento, mas jamais de amor. Então, o pedido cria a oportunidade de expressar amor, ao passo que uma ordem sufoca essa possibilidade.

DIALETOS VARIADOS

Palavras de Afirmação são uma das cinco linguagens básicas do amor. Nesse idioma, no entanto, há vários dialetos. Já falamos sobre alguns, mas ainda há muitos outros. Diversos livros e artigos já foram escritos sobre esse tema. Todos têm em comum o uso de palavras que afirmam o cônjuge. Segundo o psicólogo William James, é provável que a mais profunda necessidade humana seja a de ser admirado. Palavras de Afirmação poderão suprir essa necessidade em muitas pessoas.

Se você não gosta de expressar palavras amorosas, se essa não é sua primeira linguagem, mas acha que é a de seu cônjuge, sugiro que adquira uma caderninho e chame-a de "Palavras de Afirmação". Quando você ler um artigo ou um livro romântico, escreva ali algumas palavras de afirmação que tenha gostado. Quando assistir a alguma palestra sobre amor, ou ouvir algum amigo dizer alguma coisa positiva sobre outra pessoa, anote. Com o tempo você terá colecionado uma lista de palavras para serem usadas ao transmitir amor a seu cônjuge.

Outra coisa que se deve fazer é pronunciar Palavras de Afirmação de forma indireta, ou seja, dizer algo positivo sobre seu cônjuge, mesmo na ausência dele. Por fim, alguém transmitirá a ele o que você disse, e assim ganhará os bônus do amor. Diga a sua sogra que a filha dela é sensacional. Ao contar contar para sua esposa, ela fará algum acréscimo e você acabará ganhando mais crédito. Elogie também seu cônjuge na frente dos outros quando ele estiver presente. Quando você for o alvo do elogio, certifique-se de repartir o crédito com seu cônjuge.

Há muitas outras formas de dizer Palavras de Afirmação, entre elas, escrevê-las. Pode-se ler as frases escritas várias vezes.

Aprendi uma lição muito importante sobre Palavras de Afirmação e linguagens do amor em Little Rock, Arkansas. Visitei Bill e Betty Jo em um belo dia da primavera. Eles moravam em um condomínio fechado, em uma casa com uma pequena cerca, um gramado verdinho no jardim e canteiros de flores viçosas. Era uma visão idílica. Ao entrar, porém, percebi que no interior o clima era bem diferente. O casamento deles havia desmoronado. Após vinte anos de matrimônio e pais de duas lindas crianças, questionavam-se, primeiramente, por que haviam se casado. Discordavam de tudo. A única coisa com que concordavam é que ambos amavam os filhos. Ao relatar sua história, percebi que Bill era muito dedicado ao trabalho e oferecia muito pouco tempo a Betty Jo, sua esposa, que trabalhava meio período, provavelmente para não ficar dentro de casa. Para conviverem, evitavam estar juntos. Tentavam ficar longe um do outro para que os conflitos não assumissem proporções maiores. O ponteiro do mostrador do "Tanque do Amor" de cada um deles indicava "vazio".

Falaram-me que já tinham procurado aconselhamento, porém nada adiantou. Assistiriam a meu seminário sobre casamento, e no dia seguinte eu partiria. Aquele, portanto, seria meu único encontro com Bill e Betty. Resolvi, então, "colocar todos os ovos em uma cesta só".

Fiquei uma hora com cada um, ouvi atentamente a versão de suas histórias. Percebi que, apesar do vazio existente no relacionamento deles e da desarmonia reinante naquela convivência, havia certas coisas que apreciavam um no outro. Bob me disse: "Ela é boa mãe, excelente dona de casa e exímia cozinheira... quando resolve cozinhar. Mas não demonstra a menor afeição por mim. Trabalho feito louco e parece que ela não tem o menor reconhecimento". Em minha conversa com Betty, ela disse que Bill era excelente provedor. No entanto, reclamou: "Ele não move uma palha para me ajudar em casa e nunca tem tempo para mim. O que adianta ter esta casa, carro novo e todas as outras coisas se não podemos curti-los juntos?".

Obtive mais informações e então decidi concentrar meu aconselhamento em uma única sugestão para cada um. Disse a Bob e a Betty Jo, separadamente, que eles possuíam a chave para mudar o clima emocional do casamento. "A chave é a expressão do que você gosta nele (nela) e, por ora, a suspensão das reclamações sobre o que não agrada", eu lhes disse.

Repassei com eles os comentários positivos que fizeram um do outro e ajudei-os a fazer uma lista desses traços positivos. A relação de Bill focalizava as atividades de Betty Jo como boa mãe, excelente dona de casa e exímia cozinheira. A lista de Betty Jo registrava a dedicação de Bill ao trabalho e sua provisão financeira à família. As relações foram feitas da forma mais detalhada possível.

A lista de Betty Jo:
- Ele nunca faltou a um dia de trabalho em vinte anos. É um trabalhador dinâmico.
- Ele recebeu várias promoções nesses anos todos, e sempre deseja aumentar a produtividade.
- Ele paga as prestações da casa mensalmente.
- Ele paga as contas de água, gás e luz em dia.
- Ele comprou um carro novo há três anos para a família.
- Ele corta a grama, ou arruma alguém para cortá-la, semanalmente, na primavera e no verão.
- Ele varre as folhas, ou contrata alguém para varrê-las, durante o outono.
- Ele provê bastante dinheiro para alimentação e roupas da família.
- Ele leva o lixo para fora nos dias de coleta.
- Ele me dá dinheiro para comprar presentes de Natal para toda a família.
- Ele concorda que eu gaste meu salário da forma que desejar.

A lista de Bill:
- Ela arruma as camas todos os dias.
- Ela passa aspirador na casa uma vez por semana.
- Ela leva todos os dias as crianças para a escola, depois de dar-lhes um bom café da manhã.
- Ela faz o jantar três vezes por semana.
- Ela faz as compras do supermercado e ajuda as crianças a fazer os deveres de casa.
- Ela leva e traz as crianças quando há atividades na escola e na igreja.
- Ela leciona para crianças pequenas na Escola Dominical.
- Ela leva minhas roupas à lavanderia.
- Ela lava as roupas e passa quando é preciso.

Sugeri que acrescentassem à lista coisas que percebessem nas semanas seguintes. Solicitei também que duas vezes por semana selecionassem alguma atitude positiva do outro e a elogiassem. Recomendei ainda a Betty Jo que, se Bill a elogiasse, ela não deveria responder com outro elogio, mas simplesmente dizer: "Muito obrigada por suas palavras".

Disse a mesma coisa a Bill. Encorajei-os a proceder dessa maneira durante dois meses e, se achassem que funcionava, deveriam então continuar. Se, no entanto, a experiência não ajudasse a melhorar o clima emocional do casamento, eles deveriam simplesmente encarar tudo aquilo como outra tentativa que não dera certo.

No dia seguinte peguei o avião e voltei para casa. Anotei em minha agenda para ligar dois meses depois para Bill e Betty, a fim de saber o que tinha acontecido. Quando lhes telefonei, já em pleno verão, pedi para falar com cada um em particular. Fiquei impressionado ao notar que Bill avançara muito. Ele percebeu que eu tinha feito a mesma sugestão à esposa, mas encarou tudo de forma positiva. Para falar a verdade, ele achou ótimo! Ela expressava admiração por seu trabalho duro e por prover a família. Ele disse: "Ela conseguiu de fato fazer com que me sentisse um homem novamente. Ainda temos muito trabalho pela frente, dr. Chapman, mas acredito francamente que estamos no caminho certo".

Quando conversei com Betty Jo, no entanto, achei que avançara pouco. Ela me falou: "Alguma coisa melhorou, dr. Chapman. Bill me elogia, como o senhor sugeriu, e acredito que haja sinceridade nisso. Mas ele ainda não fica nem um minuto comigo. Trabalha muito e não tem tempo para mim". Enquanto eu ouvia Betty Jo, as "luzes" acenderam. Sabia que fizera uma grande descoberta. A linguagem do amor de uma pessoa não é necessariamente a mesma da outra. Era óbvio que a primeira linguagem do amor de Bill era Palavras de Afirmação. Ele era um trabalhador dedicado e admirava seu trabalho. O que ele mais queria da esposa era que expressasse admiração por isso. Aquele padrão foi provavelmente estabelecido em sua infância, e a necessidade de receber elogios ainda era premente em sua vida adulta. Betty Jo, por sua vez, tinha uma carência emocional em outra área. Ela gostava de receber elogios, mas ansiava por algo mais, exatamente a segunda linguagem do amor.

Palavras de afirmação
Tempo de qualidade
Presentes
Atos de serviço
Toque físico

5
Segunda linguagem do amor:
Tempo de qualidade

E ra meu dever ter percebido qual era a primeira linguagem do amor de Betty Jo logo no início, pelo que me disse na noite de primavera em que os visitei em Little Rock: "Bill é bom provedor, mas nunca tem tempo para mim. O que adianta ter esta casa, carro novo e todas as outras coisas se não podemos curti-los juntos?".

O que ela desejava? Ter tempo de qualidade com o marido. Ela queria que ele concentrasse sua atenção nela, que lhe dedicasse mais tempo e eles pudessem realizar algumas atividades juntos.

Ao dizer Tempo de Qualidade, afirmo que você deve dedicar a alguém sua inteira atenção, sem a dividir. Não significa sentar no sofá e assistir à televisão. Quando se passa tempo dessa forma, quem recebe atenção são os programas de TV, não o cônjuge. Quero dizer sentar-se no sofá com a televisão desligada, e conversar com o outro, olho no olho, no processo de dedicação mútua. Passear juntos, só os dois; saírem para jantar fora, olhar nos olhos e conversar. Você já percebeu que, nos restaurantes, é perfeitamente possível notar a diferença entre namorados e casados? Os namorados miram-se nos olhos e "conversam". Os casados sentam-se à mesa e olham ao redor do restaurante. Pode-se dizer que foram ali apenas para comer!

Quando me sento no sofá com minha esposa e lhe dedico vinte minutos de minha inteira atenção, e ela a mim, concedemos um ao outro vinte minutos de nossa existência. Nunca mais teremos aquele tempo novamente! Entregamos um ao outro ali parte de nossa vida. Esse é um poderoso comunicador do amor emocional.

Um único remédio não pode curar todas as enfermidades existentes. Em meu aconselhamento para Bill e Betty Jo, cometi um grave erro, pois disse que Palavras de Afirmação teriam o mesmo significado para os dois. Esperava que, se cada um deles fizesse uma afirmação, o clima emocional mudaria e ambos se sentiriam amados. Isso funcionou para Bill. Seus sentimentos em relação a Betty Jo tornaram-se mais positivos. Ela passou a apreciar mais o quanto ele se esforçava no trabalho. Porém, o mesmo não ocorreu com Betty Jo, porque Palavras de Afirmação não era sua primeira linguagem do amor, mas sim Tempo de Qualidade.

Peguei novamente o telefone, liguei para Bill e lhe agradeci o esforço feito nos últimos dois meses. Disse-lhe que ele fizera um bom trabalho ao dizer palavras de afirmação para Betty Jo, e ela as ouvira. Ele me disse:

— Mas, dr. Chapman, ela ainda continua triste. Acho que as coisas não melhoraram muito para ela!

— Você tem razão, Bill. E acho que sei por quê. O problema é que sugeri a linguagem do amor errada! — eu respondi.

Bill não tinha a menor noção do que eu estava falando. Expliquei-lhe então que os motivos que levam uma pessoa a experimentar o amor emocional por outra não são necessariamente os mesmos.

Ele concluiu comigo que sua linguagem do amor era realmente Palavras de Afirmação. Contou-me que desde menino isso era importante para ele e estava contente por ouvir Betty Jo admirá-lo pelas coisas que fazia. Expliquei, então, que a linguagem de Betty Jo não era Palavras de Afirmação, mas Tempo de Qualidade. Passei-lhe também o conceito de dedicar atenção integral ao cônjuge, dizendo-lhe que não deveria ouvi-la enquanto ele lia jornal ou à assistia televisão, mas sim olhá-la nos olhos e dedicar-lhe toda a atenção; fazer com o cônjuge algo de que ele goste, e ser realmente sincero nessa atividade. Ele então me disse: "Algo como ir com ela a um concerto...".

As luzes começavam a brilhar em Little Rock.

— Dr. Chapman, ela sempre reclamou disso! Nós não temos atividades em comum. Realmente não passo um momento sequer com ela. Ela me lembra o tempo todo de que, antes de nos casarmos, passeávamos e fazíamos várias atividades juntos, mas agora vivo ocupado demais. Essa é realmente sua linguagem do amor, sem sombra de dúvida. Mas... dr. Chapman, o que eu posso fazer, se meu trabalho realmente exige muito de mim!?

Pedi-lhe que me falasse sobre seu trabalho. Por dez minutos ele me contou a história de como subira os degraus da hierarquia da empresa, do quanto havia trabalhado para isso e orgulhava-se de suas realizações. Falou-me também de seus planos para o futuro e que, por seus cálculos, em cinco anos chegaria ao posto que sonhava.

Perguntei-lhe:

— Você quer chegar lá sozinho, ou deseja a companhia de Betty Jo e de seus filhos?

— Quero que eles estejam comigo. É por isso que sofro tanto quando ela reclama do tempo que passo no trabalho. Faço tudo isso por nós. Quero que ela participe disso, mas Betty mantém uma reação negativa.

— Você está começando a entender por que ela é tão negativa, Bill? A linguagem do amor de Betty Jo é Tempo de Qualidade. Você lhe dedica tão pouco tempo que o "Tanque do Amor" dela está vazio. Ela não sente segurança em seu amor. Por isso, mentalmente ela rejeita o que o afasta dela, ou seja, seu trabalho. Ela realmente não odeia sua profissão. Ela detesta o fato de sentir tão pouco amor de sua parte. Só há uma solução para isso, Bill, e o preço é alto. Você terá de arrumar tempo para passar com Betty Jo. Você precisa amá-la na linguagem dela.

— O senhor está certo, dr. Chapman. Como devo começar?

— Você ainda tem o caderno em que anotou as características positivas de Betty Jo?

— Tenho, está bem aqui.

— Ótimo. Faça uma lista. O quê, em sua opinião, Betty Jo gostaria de fazer com você? Lembre-se de coisas que ela já mencionou ao longo dos anos.

A lista de Bill ficou assim:

• Pegar o carro novo e passar uma semana nas montanhas (com as crianças ou só nós dois);

- Almoçar com ela (em um bom restaurante ou, algumas vezes, até no McDonald's);
- Contratar uma babá para cuidar das crianças e sairmos para jantar (só nós dois);
- Todas as noites, ao chegar em casa, contar a ela sobre meu dia e ouvir o que ela tem a dizer sobre o dela (ela não gosta que eu veja televisão ou leia enquanto conversamos);
- Passar tempo com os filhos e conversar sobre a vida escolar deles;
- Brincar com as crianças;
- Em um sábado, fazer um piquenique com ela e as crianças sem reclamar das formigas e das moscas;
- Tirar férias com a família, pelo menos uma vez por ano;
- Sairmos para conversar e caminhar (sem andar na frente dela).

Ao terminar a lista, Bill disse:

— São essas as coisas de que ela tem falado ao longo de todos esses anos.

— Você já sabe o que eu vou sugerir, não é, Bill?

— Colocar a lista em prática, não é? — ele respondeu. — É isso mesmo. Um tópico da lista por semana, durante os próximos dois meses. Como você vai arrumar tempo? Dê um jeito. Você é um homem inteligente e não estaria onde está se não soubesse tomar decisões importantes. Você tem habilidade para planejar sua vida e incluir Betty Jo em seus planos.

— Está certo. Vou dar um jeito.

— Outra coisa, Bill. Esse projeto não implica uma diminui-ção em suas metas. Significa que, quando você chegar ao topo, Betty Jo e seus filhos estarão lá com você.

— É isso o que mais desejo! Quer eu esteja no topo, ou não, desejo que ela seja feliz e desfrute a vida comigo e as crianças.

E os anos se passaram... Bill e Betty Jo chegaram ao topo, apesar de um pequeno revés na vida, graças à linguagem do amor. O mais importante, po-rém, é que alcançaram a vitó-ria juntos. Os filhos já deixaram o ninho, e eles acreditam viver os melhores anos de suas vidas. Bill passou a ser um sincero admirador de concertos e Betty Jo aumentou a lista dos tópi-cos que aprecia no esposo. Ele não se cansa de ir ao teatro. Há pouco tempo fundou sua própria empresa, e está novamente próximo ao topo. Seu trabalho já não é uma ameaça para Betty Jo, ela está animada e encoraja seu marido bastante. Ela sabe que está em primeiro lugar na vida de Bill. Seu "Tanque do Amor" está cheio, e se ele começar a esvaziar, sabe que uma simples solicitação sua fará com que Bill lhe conceda atenção irrestrita.

> O aspecto central do Tempo de Qualidade é estar próximo. Não quero dizer simples proximidade... Estar junto quer dizer prestar atenção.

ESTAR JUNTOS

O aspecto central do Tempo de Qualidade é estar sempre jun-tos. Não quero dizer simples proximidade. Duas pessoas senta-das em uma mesma sala estão próximas, mas não necessariamente juntas. Estar junto quer dizer prestar atenção. Quando um pai está sentado no chão e brinca de bola com o filho de 2 anos, sua atenção está focalizada na criança, não na bola. Naquele momento, por mais breve que seja, enquanto durar, eles estão juntos. Se, no entanto, o pai fala ao telefone enquanto chuta a bola para o filho, sua atenção está dividida. Há maridos e esposas que acreditam passar o tempo juntos, mas na realidade simplesmente vivem próximos. Estão na mesma casa, ao mesmo tempo, mas não estão juntos. O marido que assiste ao programa esportivo na televisão enquanto conversa com a esposa não lhe concede Tempo de Qualidade, pois ela não recebe sua total atenção.

Dedicar Tempo de Qualidade não significa olhar nos olhos um do outro o tempo todo. Quer dizer fazer coisas juntos e conceder atenção total a quem está conosco. A atividade com a qual nos envolvemos é secundária. A importância é emocional e refere-se à atenção total que concedemos e recebemos. A atividade em si é um veículo que proporciona o sentimento da interação. O importante no fato de o pai chutar a bola para o filho de 2 anos não é a atividade em si, mas as emoções suscitadas entre os dois.

Da mesma forma, marido e esposa que jogam tênis juntos, o verdadeiro Tempo de Qualidade focaliza não o jogo em si, mas o fato de que fazem algo em companhia um do outro. O importante é o que ocorre em nível emocional. Investir o tempo juntos em uma atividade em comum significa que nos importamos um com o outro, gostamos de estar próximos e de fazer coisas em conjunto.

CONVERSA DE QUALIDADE

Como as Palavras de Afirmação, a linguagem da Tempo de Qualidade também apresenta vários dialetos. Um dos mais utilizados é o da conversa de qualidade. Com isso quero dizer o diálogo acolhedor em que duas pessoas compartilham experiências, pensamentos, emoções e desejos, de forma amigável e sem interrupções. Aqueles que reclamam que os cônjuges não conversam, em sua maioria, raras vezes participam de um diálogo mais íntimo. Se o afirmam, é porque não falam nada. Se a primeira linguagem do amor de seu cônjuge for Tempo de Qualidade, esse tipo de diálogo é importantíssimo para seu emocional, no que se refere a sentir-se amado.

Conversa de qualidade é bem diferente da primeira linguagem do amor. Palavras de Afirmação concentram-se no que afirmamos, ao passo que conversa de qualidade focaliza o que ouvimos. Se expresso meu amor por você por meio do Tempo de Qualidade e passamos esse tempo juntos, significa que esse propósito será o de fazer você vir à tona, ouvir atentamente o que pretende dizer. Farei perguntas, não por obrigação, mas com o desejo genuíno de entender seus pensamentos, sentimentos e desejos.

Conheci Patrick quando ele tinha 43 anos e estava casado há 17. Lembro-me bem dele porque suas primeiras palavras foram dramáticas. Ele se sentou na cadeira de couro de meu consultório e após uma breve apresentação inclinou-se para frente e disse, com grande emoção:

— Dr. Chapman, tenho sido um idiota, um perfeito idiota!

Perguntei-lhe:

— O que o fez chegar a essa conclusão?

— Sou casado há 17 anos e, de repente, minha mulher me deixou. Só agora pude perceber como sou idiota!

Ao ouvir suas palavras, mantive minha pergunta inicial:

— Como você acha que tem sido um idiota?

— Deixe-me explicar. Minha esposa chegou em casa após um dia de trabalho e contou-me que estava passando por alguns problemas no emprego. Eu a ouvi e disse-lhe o que ela deveria fazer. (Eu sempre lhe dei conselhos.) Disse-lhe que ela deveria enfrentar aquela situação, pois os problemas não costumam sumir facilmente, e deveria conversar com as pessoas envolvidas ou o supervisor do departamento. Seria necessário que ela enfrentasse a situação. No dia seguinte, porém, ela chegou do trabalho e falou dos mesmos problemas. Então lhe perguntei se ela tinha feito o que eu havia sugerido no dia anterior. Ela disse que que "não". Repeti, naquele momento, o mesmo conselho. Disse-lhe que aquela era a forma correta de lidar com a situação. No dia seguinte, ela chegou em casa e falou dos mesmos problemas. Mais uma vez eu lhe perguntei se fizera o que eu propusera. Mais uma vez ela disse que não.

Depois de três ou quatro noites, fiquei muito bravo e disse-lhe que não contasse mais comigo enquanto não fizesse o que eu lhe recomendara. Ela não precisava viver sob aquela pressão, pois resolveria seu problema se simplesmente fizesse o que eu tinha recomendado. Na próxima vez em que ela falou sobre o problema, eu lhe disse: "Não quero mais ouvir sobre isso. Já falei várias vezes o que deveria fazer. Se você não quer ouvir meus conselhos, também não quero mais ouvir falar desse assunto!

> Aprendemos a analisar problemas para dar-lhes soluções. Esquecemos que o casamento é um relacionamento, e não um projeto a ser terminado ou um problema a ser resolvido.

Ele prosseguiu:

— Eu saí e fui para o trabalho. Como fui idiota! Agora percebo que, quando ela me falava sobre os problemas no trabalho, não queria meus conselhos, mas solidariedade. Desejava ser ouvida, receber atenção e ouvir que eu entendia a dor, a pressão e a tensão pelas quais passava. Ela queria ouvir que eu a amava e estava ao seu lado. Ela não desejava conselhos, mas minha compreensão. Mas eu jamais tentei entendê-la. Estava muito afastado dela ao oferecer apenas conselhos. Como fui louco! E agora ela foi embora. Por que a gente não percebe essas coisas quando passamos por elas? Eu estava completamente cego para o que acontecia. Só agora percebo como falhei com ela.

A esposa de Patrick suplicava por uma conversa de qualidade. Emocionalmente, ela esperava que ele prestasse atenção a sua dor e frustração. Patrick, porém, não focalizava sua atenção em ouvir, mas em falar. Ele escutava somente o suficiente para perceber o problema e formular uma solução. Ele não a ouvia o tempo necessário para compreender sua súplica por apoio e compreensão.

Nós somos como Patrick. Aprendemos a analisar problemas para dar-lhes soluções. Esquecemos que o casamento é um relacionamento, e não um projeto a ser terminado ou um problema a ser resolvido. Uma convivência a dois implica solidariedade em ouvir com a intenção de entender o que o outro cônjuge pensa, sente e deseja. Devemos também estar dispostos a aconselhar, mas só quando solicitados e nunca com arrogância. Muitos de nós não sabem ouvir. Somos mais eficientes em pensar e falar. Aprender a ouvir pode ser tão difícil quanto aprender um idioma; porém, se quisermos comunicar o amor, precisamos aprender a fazê-lo. Isso é especialmente importante se a primeira linguagem de seu cônjuge for Tempo de Qualidade e o dialeto, conversa de qualidade. Felizmente, há muitos livros e artigos sobre a arte de ouvir. Não repetirei o que já disse em outros momentos, mas vou apresentar algumas dicas que podem ser bastante úteis:

1. Procure olhar nos olhos de seu cônjuge quando ele estiver falando sobre alguma coisa. Essa atitude ajuda sua mente a não divagar e comunica que ele realmente recebe sua total atenção.

2. Não faça outra coisa enquanto estiver ouvindo seu cônjuge. Lembre-se: Tempo de Qualidade é dedicar sua total atenção. Se você porventura assistir à TV, ler ou fizer qualquer outra atividade pela qual esteja muito envolvido, e não puder desviar a atenção imediatamente, diga isso a seu cônjuge: "Sei que você quer falar comigo agora, e estou interessado em ouvir, mas gostaria de lhe dar mais atenção e no momento não é possível. Se você me esperar dez minutos até eu terminar o que estou fazendo, vamos nos sentar e então ouvirei o que você tem a dizer". A maioria dos cônjuges atende a uma solicitação dessas.

3. "Escute" o sentimento. Pergunte a você mesmo o tipo de emoção que seu cônjuge sente no momento. Quando achar que descobriu, confirme. Por exemplo: "Tenho a impressão de que você está desapontado por eu ter esquecido de...". Essa é uma oportunidade para você certificar-se de seus sentimentos, e comunica que ouve com atenção o que lhe falam.

4. Observe a linguagem corporal. Punhos cerrados, mãos trêmulas, lágrimas, cenho franzido e expressão dos olhos fornecem pistas dos sentimentos de seu cônjuge. Algumas vezes, a linguagem verbal diz uma coisa, enquanto a corporal afirma outra. Peça um esclarecimento para poder confirmar seus reais sentimentos.

5. Recuse interrupções. Pesquisas recentes indicam que, em média, as pessoas ouvem apenas 17 segundos antes de interromperem para acrescentar à conversa as próprias idéias. Se você dedicar total atenção ao cônjuge enquanto ele fala, evitará defender-se para fazer acusações ou, dogmaticamente, evidenciar sua posição. Seu objetivo é perceber os sentimentos e pensamentos do cônjuge. O objetivo não é a autodefesa nem permitir que o outro ganhe uma discussão; a intenção é compreender seu cônjuge.

APRENDENDO A FALAR

Uma conversa de qualidade exige não só consideração ao ouvir, mas também disposição em se expor. Quando uma esposa diz: "Gostaria tanto que meu marido conversasse comigo!

Nunca sei o que ele pensa ou sente...". Ela clama por intimidade; quer sentir-se próxima de seu esposo. Mas, como se sentir ao lado de alguém a quem não conhece? Para que ela se sinta amada, o marido precisa aprender a se expor. Se a primeira linguagem do amor dela for Tempo de Qualidade e seu dialeto, conversa de qualidade, seu tanque emocional nunca estará completo até que ele partilhe com ela seus pensamentos e sentimentos.

Para muitos de nós, o ato de expor-se não é nada fácil. Muitos adultos são provenientes de lares onde a expressão dos pensamentos e sentimentos não era encorajada, mas sim condena-

> Se você precisa aprender a linguagem da conversa de qualidade, comece a observar os sentimentos que lhe ocorrem quando está longe de casa.

da. Ao pedir um brinquedo, a criança ouvia um sermão sobre a situação financeira familiar. Ela se sentia culpada pelo desejo de ter o brinquedo e logo aprendia a não expressar mais seus desejos. Quando o filho, ou a filha, expressava raiva, os pais o repreendiam com palavras severas de condenação. O que acontecia então? A criança também aprendia que não deveria expressar sentimentos de raiva. Se o filho se sentisse culpado por expressar sua frustração por não lhe ser permitido acompanhar o pai ao supermercado, aprendia a guardar seu desagrado para si. Nós, adultos, ao atingirmos a maturidade, aprendemos a negar nossos sentimentos. Deixamos de ter contato com nosso ser emocional.

A esposa pergunta ao marido:

— Como você se sentiu com a reação de Mark?

75

E o marido responde:

— Eu acho que ele está errado. Ele deveria ter feito assim, assado...

Note, porém, que ele não expressa seus sentimentos. Simplesmente manifesta seus pensamentos. Talvez ele tenha motivos para sentir-se triste, com raiva ou desapontado. No entanto, vive há tanto tempo no nível do raciocínio, que nem sequer reconhece a existência de seus sentimentos. Pode-se comparar o aprendizado da linguagem da conversa de qualidade ao aprendizado de um idioma. O início sempre é uma aproximação dos sentimentos, e o aluno pouco a pouco se torna consciente de que é uma criatura emocional, apesar do fato de ter ignorado aquela faceta de sua vida.

Se você precisa aprender a linguagem da conversa de qualidade, comece a perceber os sentimentos que lhe ocorrem quando está longe de casa. Compre um bloquinho de rascunho e mantenha-o diariamente com você. Três vezes, durante o dia, faça a si mesmo as seguintes perguntas:

- Que emoções senti nas últimas três horas?
- O que senti a caminho do trabalho quando o motorista atrás de mim ficou o tempo todo colado no pára-choque do meu carro?
- Como me senti quando, ao abastecer o carro, a bomba automática de gasolina não funcionou, fez o tanque transbordar e derramar e ensopar toda a parte de trás do carro com gasolina?
- Como me senti quando, ao chegar ao escritório, soube que minha secretária tinha sido requisitada para outro

projeto da empresa e não estaria presente durante toda a manhã?

- Como me senti quando meu supervisor me comunicou que o projeto no qual eu trabalhava teria de ser concluído em três dias, quando pensei que teria mais duas semanas?

Escreva seus sentimentos no bloco de rascunho e, ao lado, coloque uma ou duas palavras para lembrá-lo do evento correspondente ao sentimento. Sua lista deve ficar mais ou menos assim:

Situação	Sentimentos
1. motorista colado	1. raiva
2. posto de gasolina	2. desagrado
3. sem secretária	3. desapontamento
4. projeto em três dias	4. frustração e ansiedade

Faça esse exercício três vezes ao dia e você descobrirá sua natureza emocional. Utilize o bloquinho e comunique a seu cônjuge as emoções que experimentou e as situações enfrentadas. Quanto mais você fizer isso, melhor será. Em algumas semanas você vai se sentir mais confortável para expressar suas emoções ao cônjuge. Por fim, também se sentirá mais à vontade quando conversar sobre seus sentimentos em relação a cônjuge, filhos e acontecimentos domésticos. Lembre-se de que as emoções em si não são certas nem erradas. São simplesmente reações psicológicas aos acontecimentos da vida.

Sempre tomamos decisões com base em nossos pensamentos e emoções. Quando, a caminho do trabalho, um motorista colou no seu carro e você ficou com raiva, será que alguns dos seguintes pensamentos passaram por sua cabeça?

- Gostaria que ele saísse da pista;
- Gostaria que ele me ultrapassasse;
- Se eu não corresse o risco de ser multado, gostaria de pisar fundo e deixá-lo para trás;
- Gostaria de frear bruscamente de modo que ele batesse na traseira de meu carro, e a seguradora tivesse de me dar um carro novo;
- Talvez eu deva sair para a direita e deixá-lo passar.

Você, por fim, tomou alguma dessas decisões ou o outro motorista reduziu a marcha, ou ultrapassou seu carro e você conseguiu chegar seguro ao trabalho. Cada acontecimento de nossa vida gera emoções, pensamentos, desejos e ações. Chamamos a expressão desse processo de auto-revelação. Se você optar por aprender o dialeto da conversa de qualidade, esse é o caminho que deverá trilhar.

TIPOS DE PERSONALIDADE

Nem todas as pessoas são desconectadas de suas emoções, no entanto quando surge o assunto, todas são afetadas por sua maneira específica de ser. Tenho observado dois tipos básicos de personalidade. O primeiro chamarei de "mar Morto". Na pequena nação de Israel, o mar da Galiléia segue rumo ao sul através do rio Jordão até o mar Morto, que não vai a lugar nenhum. Ele recebe, mas nada retribui. Esse tipo de personalidade adquire muitas experiências, emoções e diversos pensamentos ao longo do dia. Possui um amplo reservatório onde armazena informações e sente-se absolutamente feliz em não falar. Se você perguntar à personalidade mar Morto: "O que há de errado? Por que você ainda não falou nada nesta noite?". A resposta, muito provavelmente, será: "Não há nada há de errado. Por que você acha que há?".

E a resposta será absolutamente honesta, pois ele está feliz por não falar nada. Gostaria de fazer uma longa viagem, de norte a sul do país, para não dizer uma única palavra e estar sinceramente feliz.

No outro extremo, porém, está o "corrideiras". Esse tipo de personalidade pode ser descrita como aquela que leva no máximo 60 segundos para falar o que lhe passa pelos olhos ou ouvidos. Falam com rapidez sobre o que vêem ou ouvem. De fato, se não houver ninguém em casa para quem possam comentar alguma coisa, articularão um jeito de falar com alguém: "Sabe quem eu vi hoje?", "Sabe o que eu ouvi hoje?".

Se não conseguem conversar ao telefone, falam sozinhos, pois não possuem nenhum reservatório. É comum que o mar Morto e o corrideiras casem-se. Isso ocorre porque, quando estão em pleno namoro, as características opostas tornam-se muito atraentes para ambos.

Se você for o mar Morto e sair com o corrideiras, é provável que tenha uma noite maravilhosa. Não terá de preocupar-se em iniciar uma conversa nem em mantê-la. Para falar a verdade, não deve nem pensar sobre isso. Tudo o que fará será assentir com a cabeça e fazer "hum, hum...", e essa expressão preencherá a noite toda. Você chegará em casa e pensará: "Que noite!

Que pessoa maravilhosa!". No entanto, se for um corrideiras e sair com um mar Morto, também terá um encontro igualmente maravilhoso porque esse reservatório é o melhor ouvinte do mundo. Você deve falar durante umas três horas. O mar Morto ouvirá atentamente o corrideiras e, ao chegar em casa seu comentário será: "Que pessoa maravilhosa!". Haverá uma atração recíproca. Porém, com cinco anos de casados, o corrideiras acordará em uma bela manhã e dirá: "Estamos casados há cinco anos, mas eu não o conheço!". O mar Morto, por outro lado, dirá: "Eu a conheço muito bem! Gostaria muito que interrompesse um pouco o dilúvio de palavras e me desse atenção".

> Uma forma de aprender novos padrões de comportamento é estabelecer, diariamente, um período no qual cada um poderá falar sobre três situações que ocorreram durante o dia e os sentimentos que tiveram em relação a elas.

A boa notícia nisso tudo é que o mar Morto provavelmente aprenderá a falar e o corrideiras saberá ouvir. Somos influenciados mas não dominados por nossas personalidades.

Uma forma de aprender novos padrões de comportamento é estabelecer, diariamente, um período no qual cada um falará sobre três situações que ocorreram durante o dia e os sentimentos que tiveram em relação a elas. Chamo esse método de "Dose Mínima Diária" para um casamento saudável. Se você começar com esse período, em algumas semanas, ou meses, a conversa de qualidade fluirá mais livremente entre vocês.

ATIVIDADES DE QUALIDADE

Além da linguagem básica do amor Tempo de Qualidade —
dedicação e atenção total ao cônjuge — há outro dialeto que se
chama Atividades de Qualidade. Em um recente seminário
sobre casamento, pedi que os casais completassem a seguinte
sentença: "Sinto mais amor por meu cônjuge quando...". Veja
as respostas de jovem marido, casado há oito anos: "Sinto mais
amor por minha esposa quando fazemos atividades juntos, ou
seja, coisas que eu e ela gostamos de fazer, assim conversamos
mais. É como se estivéssemos namorando outra vez".

Essa é uma linguagem típica de pessoas cuja primeira linguagem do amor é Tempo de Qualidade. A ênfase está em
estar juntos, em realizar ao lado do outro as mesmas atividades
e em dedicar atenção total às necessidades de ambos.

Entende-se por atividades de qualidade algo que desperte o
interesse de um cônjuge ou dos dois. A ênfase não está em
fazer a atividade, mas na razão de fazê-la. O objetivo é ter uma
experiência juntos e concluí-la de modo que possam afirmar:
"Ele (ela) se interessa por mim. Ele (ela) quis fazer comigo algo
que eu gosto e realizou-o com uma atitude muito positiva".
Isso é amor e, para algumas pessoas, é a forma em que ele fala
mais alto.

Tracie cresceu em meio a concertos. Durante sua infância,
a casa sempre esteve envolta por música clássica. Pelo menos
uma vez ao ano ela acompanhava os pais a um festival. Larry,
contudo, gostava de música *country*. Ele nunca assistira a um
concerto e sempre ligava o rádio em estações de música popu-
lar. Ele se referia ao gosto musical da esposa como música de

elevador. Se ele não tivesse se casado com Tracie, teria passado pela vida sem nunca assistir a um concerto. Antes do casamento, enquanto atravessava a fase da paixão obsessiva, ele chegou até a assistir a alguns apresentações musicais. Porém, mesmo apaixonado, ele perguntou se ela chamava "aquilo" de música!

Após o casamento, decidiu que nunca mais sairia de casa para ouvir um concerto. No entanto, quando anos mais tarde descobriu que Tempo de Qualidade era a primeira linguagem do amor de Tracie e que ela apreciava de forma especial o dialeto das atividades de qualidade, quis acompanhá-la e o fez com entusiasmo. Seu propósito era claro. Ele não ia para assistir ao concerto, mas para demonstrar amor a Tracie e falar alto em sua linguagem. Com o passar do tempo, chegou a gostar dos concertos e por fim a deleitar-se com um ou dois movimentos. Talvez nunca se torne um amante da música erudita, mas provavelmente diplomou-se em demonstrar amor à sua esposa.

Entre as atividades de qualidade citamos criar um jardim, descobrir e ir a liquidações, colecionar antiguidades, ouvir música, fazer piqueniques, caminhar, lavar o carro juntos etc. Essas atividades de qualidade limitam-se apenas pelo interesse e desejo de tentar novas experiências, e seus ingredientes especiais são:

1. Desejo, de um dos cônjuges, de fazê-la;
2. Disposição do outro cônjuge em executá-la;
3. Consciência dos dois cônjuges da razão de realizá-la — expressão do amor de modo a ficarem juntos.

Um dos pontos positivos das atividades de qualidade é que elas possibilitam a criação de um banco de memórias que podemos acessar no futuro. Feliz é o casal que tem a lembrança de uma caminhada na praia pela manhã; de flores plantadas no jardim; dos truques para acabar com as formigas do pomar; do projeto de pintura dos quartos; da noite em que tiveram aula de patim e um deles quebrou a perna; dos passeios pelo parque; dos concertos; dos recitais e, como esquecer, do tempo que se levou apreciando uma cascata após o longo percurso de bicicleta até encontrá-la. Chegam a sentir os respingos no rosto. São memórias de amor, especialmente para aquelas pessoas cuja primeira linguagem é Tempo de Qualidade.

Um dos pontos positivos das atividades de qualidade é que possibilitam a criação de um banco de memórias que podemos acessar no futuro.

E como achar tempo para essas atividades, especialmente se os dois trabalham fora? Encontramos um tempinho, da mesma forma que temos uma hora para almoçar e jantar. Por quê? Porque são tão essenciais para o casamento como as refeições para a saúde.

É difícil? É preciso planejamento? Sim!

Significa que tenhamos de abrir mão de algumas atividades particulares? Talvez!

Significa que faremos algumas coisas pelas quais não temos particular interesse? Certamente!

Será que compensa? Sem sombra de dúvida!

O que posso aprender com isso? O prazer de viver com um cônjuge que é amado e sabe disso, pois compreende que você aprendeu a falar fluentemente a primeira linguagem dele.

Gostaria de agradecer a Bill e Betty Jo, de Little Rock, que me ensinaram o valor da primeira linguagem do amor — Palavras de Afirmação, e também a segunda, Tempo de Qualidade.

Agora, vamos até Chicago para encontrar a terceira linguagem do amor.

Palavras de afirmação
Tempo de qualidade
Presentes
Atos de serviço
Toque físico

6
Terceira linguagem do amor:
Presentes

E studei antropologia em Chicago. Em vista das variadas etnografias, visitei pessoas fascinantes em todo o mundo. Estive na América Central, onde pesquisei as avançadas culturas maia e asteca. Cruzei o Pacífico e analisei as tribos da Melanésia e Polinésia. Estudei os esquimós das tundras, ao norte; os aborígines ainos do Japão, pesquisei os padrões culturais sobre amor e casamento e descobri que em cada cultura o ato de presentear faz parte do processo.

Os antropólogos em geral são apaixonados pelos padrões culturais que distinguem as culturas, assim como eu. Será que presentear é uma expressão fundamental de amor que transcende barreiras culturais? Será que a atitude de amor sempre acompanha o ato de conceder? Essas perguntas são acadêmicas e de certa forma até filosóficas, mas a resposta a elas é *sim*. Podemos inclusive notar uma profunda implicação prática nos casais norte-americanos.

Fiz uma viagem antropológica de campo à Dominica. Nosso propósito era estudar a cultura indígena caribenha. Foi nessa viagem que conheci Fred. Ele não era do Caribe, mas um jovem negro de 28 anos. Perdera uma das mãos numa explosão com dinamite, em uma temporada de pesca. Por causa do acidente teve de abandonar a profissão de pescador. Fred tinha muito tempo disponível, e gostei de poder contar com a companhia dele. Passamos muitas horas juntos e conversamos sobre sua cultura.

Em minha primeira visita à casa dele, me perguntou:

— Senhor Gary, o senhor aceita um suco?

Aceitei prontamente. Ele, então, virou-se para seu irmão mais novo e disse:

— Pegue um suco para o senhor Gary.

Seu irmão virou-se, saiu da casa, subiu em um coqueiro e trouxe um lindo coco verde nas mãos. Fred pediu que o abrisse. Com três rápidos movimentos de faca, o irmão furou o coco e fez uma abertura triangular na parte superior.

Fred entregou-me o coco e disse:

— Aqui está seu suco.

O líquido era esverdeado, mas eu o bebi assim mesmo, todinho! Eu o tomei porque sabia que aquele ato fora de amor. Eu era seu amigo e sabia que ali só se oferece suco aos companheiros.

Ao final de algumas semanas, quando já se aproximava minha hora de partir da pequena ilha, Fred deu-me uma última prova de amor — uma enorme concha em espiral, que ele mesmo havia tirado do oceano. Tinha uma camada que de tanto ser friccionada pelas rochas lembrava, ao toque, uma seda macia. Ele me disse que aquele objeto estava naquelas praias havia muitos anos e gostaria que eu o levasse como recordação da bela ilha. Ainda hoje, quando olho para aquela concha, quase posso ouvir o som das ondas do Caribe. Porém, ela é mais do que uma recordação das praias da ilha de Dominica, é uma demonstração de amor.

Um presente é algo que você pode segurar nas mãos e dizer: "Ele pensou em mim!" ou "Ela se lembrou de mim!".

Antes de comprarmos um presente para alguém, pensamos naquela pessoa. O objeto em si é um símbolo desse pensamento. Não importa se foi caro ou barato, o importante é que ele seja a prova desse desejo. Não é somente a intenção mental que conta, mas o pensamento concretizado pelo presente que se torna uma expressão de amor.

Muitas mães contam que seus filhos lhes deram de presente flores colhidas no quintal de casa. Elas se sentem amadas, mesmo que o presente seja uma simples flor do jardim delas, que não gostariam de ver arrancada. Desde muito pequenas as crianças sentem-se inclinadas a presentear os pais, o que é uma boa indicação de que dar presentes é fundamental para o amor.

O presente é um símbolo visual do amor. Na maioria das cerimônias de casamento os noivos dão e recebem alianças. A pessoa que realiza a cerimônia diz: "Estas alianças são o sinal visível dos elos espirituais que unem estes dois corações em um amor que nunca terminará". Isso não é simples retórica. É a expressão de uma significativa verdade — os símbolos possuem valores emocionais. Creio que isso pode ser bem exemplificado quando, perto do desmoronamento de um casamento, marido e mulher deixam de usar as alianças. Esse é um sinal muito nítido de que o casamento está com sérios problemas. Um homem casado certa vez me disse:

> Quando ela atirou a aliança contra mim e saiu, cega de raiva, batendo a porta da casa, ficou evidente que nosso problema era seríssimo. A aliança ficou no mesmo lugar onde foi jogada durante dois dias, porque eu não me abaixei para pegá-la. Quando finalmente a apanhei, chorei convulsivamente.

As alianças são um símbolo do que o casamento deveria ser. Porém, aquela que ficou na palma da mão dele, e não no dedo dela, funcionava como um lembrete visual de que o casamento tinha desmoronado. A aliança solitária provocou profundas reflexões e emoções no marido. Símbolos visuais de amor são mais importantes para uns do que para outros. Por esse motivo, há aqueles que após se casarem nunca deixaram de usar aliança; outros, porém, nem chegam a usá-la. Essa é outra evidência de que as pessoas possuem linguagens do amor diferentes. Se receber presentes é sua primeira linguagem do amor, então você valorizará enormemente a aliança recebida e a usará com grande orgulho. Ao longo da vida, outros presentes também serão motivo de grandes emoções. Você verá neles expressões de amor. Sem lembranças como símbolos visuais, o amor do cônjuge poderá até ser questionado.

Existem presentes de todos os tamanhos, cores e formatos. Alguns são caros, outros baratos. Para aquela pessoa cuja primeira linguagem do amor é receber presentes, o preço pouco importará, a menos que haja uma enorme discrepância entre o que se presenteou e o que se poderia oferecer. Se o marido milionário presenteia regularmente a esposa com objetos de um dólar, ela poderá questionar se de fato trata-se de uma expressão de amor. No entanto, quando as finanças da família são reduzidas, um presente de um dólar significará tanto quanto outro de um milhão.

Os presentes podem ser comprados, achados ou elaborados. O marido que pára na estrada e apanha uma flor selvagem para a esposa achou ali uma singela expressão de amor, a menos que ela seja alérgica a flores do campo! Para o esposo que pode pagar, há muitos cartões bonitos e tocantes e não são tão caros assim! Para aqueles que não podem comprá-los, podem fazê-los, e sem pagar nada. Pegue uma folha de papel, uma tesoura, recorte em forma de coração e no meio escreva: "Eu amo você!". Os presentes não precisam ser caros.

> Se a primeira linguagem do amor de seu cônjuge for Presentes, você pode ser especialista nessa área. Na verdade, esta é uma das linguagens mais simples de aprender.

Mas como deve agir a pessoa que alega não saber dar presentes? "Não sei dar presentes. Durante toda a minha infância e adolescência recebi poucos presentes. Não sei escolher o que oferecer às pessoas. Isso não é natural em mim!"

Parabéns! Você acabou de fazer a primeira grande descoberta no caminho para se tornar um grande amante! Você e seu cônjuge possuem diferentes linguagens do amor. Agora que já sabe disso, comece a busca de descobrir sua segunda linguagem do amor. Se a primeira linguagem do amor de seu cônjuge é Presentes, você poderá tornar-se um especialista no assunto. Na verdade, essa é uma das linguagens mais simples de aprender.

Por onde começar? Faça uma lista de todos os presentes que, na sua opinião, seu cônjuge gostaria de receber. Podem ser lembranças já presenteadas por você ou outros membros da família ou amigos. A lista poderá proporcionar uma idéia dos presentes que seu cônjuge desejaria ganhar. Se você tiver dificuldade em fazer uma seleção desses objetos, consulte outros familiares. Neste meio-tempo, "chute", mas faça uma lista com presentes que estejam mais à mão e adquira-os para seu cônjuge. Não espere uma ocasião especial; se Presentes for a primeira linguagem do amor de sua esposa/seu marido, praticamente tudo o que você lhe oferecer será recebido como expressão de amor. Se o cônjuge foi muito crítico em relação aos presentes que você ofereceu no passado, pois muitos deles não foram apreciados, então essa é uma grande dica de que receber presentes, com certeza, não é a primeira linguagem de amor de seu cônjuge.

PRESENTES X DINHEIRO

Se você está prestes a se tornar um presenteador eficaz, mude sua atitude em relação ao dinheiro. Cada um tem uma percepção individual dos objetivos do salário na vida, com várias emoções relacionadas à forma como ele é empregado. Alguns se sentem bem quando o gastam. Outros, porém, têm uma perspectiva de economizar e poupar o máximo possível. Em geral, apreciamos o fato de economizar e gastar nosso dinheiro sabiamente.

Se você aprecia gastar seu salário, praticamente não terá dificuldade em comprar presentes para o cônjuge. Porém, se você for tipo "pão-duro", sem dúvida sentirá uma resistência emocional à idéia de gastar seu dinheiro como expressão de amor. Se você não compra nada para si, por que deveria comprar para o cônjuge? Essa atitude, porém, não revela que você, a bem da verdade, adquira algo para si mesmo. A economia e o investimento de seu dinheiro proporcionam-lhe segurança emocional.

Você provê sua própria segurança emocional na forma como lida com o salário. O que você de fato não faz é suprir as necessidades emocionais de seu cônjuge. Se acabar descobrindo que a primeira linguagem do amor dele for realmente Presentes, então talvez perceba que comprar presentes para o cônjuge é o melhor investimento que realizará! Você investirá em seu relacionamento e encherá o "Tanque do Amor" emocional de seu cônjuge. Com o "tanque cheio", ele corresponderá a seu amor emocional em uma linguagem que você por certo entenderá. Quando as necessidades emocionais de ambos são supridas, o casamento toma uma dimensão totalmente nova. Não se preocupe com seus investimentos. Você sempre será econômico, mas investir no amor de seu cônjuge será como comprar a ação mais valiosa da bolsa de valores.

O PRESENTE DA PRESENÇA

Existe um tipo de presente intangível que muitas vezes fala mais alto do que qualquer outro que você tenha nas mãos. Eu o denomino presente da presença ou presente de si mesmo. Estar ao lado do marido (ou da esposa) quando ele (ela) precisa de você fala mais alto do que aquele cuja primeira linguagem é Presentes. Jan disse-me certa vez:

— Meu marido Donald gosta mais de futebol do que de mim!

Então lhe perguntei:

— Por que você diz isso?

— No dia em que nosso filho nasceu, ele foi jogar bola. Eu fiquei a tarde toda sozinha, deitada no leito da maternidade, enquanto ele se divertia com os colegas o tempo todo. Fiquei arrasada. Aquele era um dos momentos mais preciosos de nossa vida. Queria que o desfrutássemos juntos. Desejava que ele estivesse ali comigo. Mas Don me abandonou e foi jogar!

Aquele marido poderia ter mandado dúzias de rosas para a esposa, mas elas não falariam tão alto quanto se ele estivesse no hospital, ao lado da esposa. Posso afirmar que Jan ficou profundamente magoada com aquela experiência. O "bebê" tem agora 15 anos, mas ela fala do que ocorreu com todas as emoções presentes, como se tivesse acontecido no dia anterior. Procurei sondá-la com a seguinte pergunta:

— Você baseou sua conclusão, de que Don aprecia mais a futebol do que a você, naquela experiência?

— Não foi só nisso. No dia do funeral de minha mãe, ele também foi jogar bola.

— Mas ele foi ao funeral?

— Foi. Mas assim que a cerimônia terminou, ele foi direto jogar. Eu não podia acreditar. Meus irmãos levaram-me para casa, pois meu marido tinha ido jogar futebol!

Mais tarde tive a oportunidade de perguntar a Don sobre essas duas situações. Ele sabia exatamente do que eu falava:

— É, eu sabia que ela falaria ao senhor sobre isso. Eu estava lá durante todo o trabalho de parto e também quando o bebê nasceu. Tirei fotos. Eu estava muito feliz e não via a hora de contar para os meus colegas do time a boa notícia. Mais tarde, quando voltei ao hospital, "minha bola murchou"! Ela estava furiosa comigo. Eu não podia acreditar que era ela quem me dizia todas aquelas coisas horrorosas! Achei que ela ficaria orgulhosa por eu ter prazer em querer dar a boa notícia ao time...

Ele prosseguiu:

— E quando a mãe dela morreu? Provavelmente não lhe contou que eu tirei uma semana de férias antes que minha sogra morresse e fiquei o tempo todo entre o hospital e a casa dela, fazendo reparos e ajudando no que era preciso. Após sua morte, terminado o funeral, achei que tinha feito tudo o que podia. Eu precisava de descanso. Gosto muito de futebol e sabia que um joguinho me ajudaria a relaxar e a aliviar um pouco a tensão dos últimos dias. Achei que ela fosse compreender. Fiz tudo o que achei ser importante para ela, mas não foi suficiente. Ela nunca vai esquecer e sempre vai jogar na minha cara aqueles dois dias. Ela diz que eu gosto mais de futebol do que dela. Isso é ridículo!

> Sua presença em tempo de crise é o maior presente que se pode dar ao cônjuge se a primeira linguagem do amor dele for Presentes.

Don era um marido sincero que não conseguiu compreender a tremenda importância de sua presença, que era mais importante para ela do que qualquer outra coisa. Sua presença em tempos de crise é o maior presente que você pode dar ao cônjuge, se a primeira linguagem do amor dele for Presentes. A presença física torna-se o símbolo do amor. Se retirarmos essa presença, a percepção dessa virtude evapora-se. Durante o aconselhamento, Don e Jan trataram das feridas e dos ressentimentos do passado. Ela conseguiu perdoá-lo, e ele compreendeu por que sua presença era tão importante para ela.

Se a presença de seu cônjuge é muito importante para você, eu o incentivo a dizer a ele. Não espere que ele leia sua mente. Se, por acaso, ouvir: "Gostaria muito que você estivesse lá comigo amanhã (hoje à noite, esta tarde etc.)"; por favor, leve esse pedido a sério. Talvez, de seu ponto de vista, sua presença não seja tão importante, mas se você não atender a essa solicitação, poderá comunicar uma mensagem negativa. Um marido me disse certa vez:

— Quando minha mãe morreu, o supervisor de minha esposa a dispensou do trabalho por um período de duas horas, depois do qual deveria retornar. Ela disse ao chefe que seu marido precisava do apoio dela; por isso, não voltaria mais naquele dia. O supervisor lhe respondeu: "Se você não voltar, poderá perder o emprego". Minha esposa disse: "Meu marido é mais importante do que meu trabalho". Ela passou aquele dia comigo. De certa forma, naquele dia eu me senti mais amado do que nunca. Jamais esqueci aquele gesto. E sabe o que aconteceu? Ela não perdeu o emprego; o supervisor foi demitido e ela assumiu o lugar dele.

Aquela esposa tinha falado a linguagem do amor de seu marido, e ele jamais esqueceu aquilo.

Quase toda literatura existente sobre o amor indica que em seu cerne está o espírito da entrega voluntária. Todas as cinco linguagens do amor nos desafiam a nos doar ao cônjuge; no entanto, para alguns, receber presentes, símbolos visíveis do amor, é o que fala mais alto. O maior exemplo dessa verdade veio de Chicago, onde conheci Jim e Janice.

Eles participaram de meu seminário sobre casamento e ficaram encarregados de me levar, na tarde de sábado, ao aeroporto O'Hare. Faltavam três horas para meu embarque, e eles me convidaram a um restaurante. Como estava com fome, aceitei com entusiasmo. Naquela tarde, tive muito mais do que uma refeição grátis.

Jim e Janice cresceram em fazendas da região de Illinois. Mudaram para Chicago logo após se casarem. Ela me contou um fato ocorrido quinze anos depois do feliz matrimônio e dos três filhos. Começou a falar assim que nos sentamos:

— Dr. Chapman, o motivo de trazê-lo até o aeroporto foi para partilharmos com o senhor um milagre.

Alguma coisa nessa palavra faz-me recuar, principalmente quando não conheço a pessoa que a usa. "O que será que vem por aí?", pensei. Guardando esses pensamentos para mim, dediquei-lhe toda a atenção. Eu não sabia, mas estava prestes a levar um choque.

— Dr. Chapman, Deus usou o senhor para fazer um milagre em nosso casamento.

Nossa, como me senti culpado! Um minuto atrás eu questionava o uso da palavra milagre e, agora, Janice dizia que eu era o instrumento daquele milagre. Passei, então, a ouvir com mais interesse. Janice continuou:

— Há três anos participamos, pela primeira vez, de um de seus seminários aqui mesmo em Chicago. Eu estava desesperada. Pensava seriamente em deixar Jim, e já havia dito isso a ele. Nosso casamento estava vazio havia muito tempo. Eu já tinha desistido. Durante anos eu dizia a Jim que precisava de seu amor, mas ele não esboçava nenhuma reação. Eu amava as crianças e sabia que elas me adoravam também, mas não sentia nenhum amor da parte de Jim. Para ser sincera, naquela época eu praticamente o detestava. Ele era uma pessoa absolutamente metódica. Fazia tudo por hábito. Era tão previsível quanto um relógio e ninguém conseguia alterar aquela rotina.

Ela continuou:

— Durante muitos anos, tentei ser uma boa esposa. Eu cozinhava, lavava, passava... Colocava em prática tudo o que uma boa esposa deveria realizar. Fazia sexo porque sabia que era importante para ele. Porém, não havia jeito de me sentir amada por Jim. Sentia-me como se ele tivesse deixado de se interessar por mim após o casamento e simplesmente não me valorizava mais. Sentia-me usada e desvalorizada.

— Quando falei com Jim sobre meus sentimentos, ele simplesmente riu e disse que nós tínhamos um casamento tão bom quanto qualquer outro da vizinhança. Ele não conseguia entender por que eu estava tão infeliz. Lembrou-me então de que as contas estavam pagas, tínhamos uma bela casa, um carro novo, e eu podia me dar ao luxo de ser dona de casa ou trabalhar fora, e deveria estar alegre, em vez de reclamar o tempo todo. Ele nem ao menos tentou compreender meus sentimentos, o que me fez sentir totalmente rejeitada. E foi assim que três anos atrás chegamos ao seu seminário. Ela suspirou e prosseguiu:

— Até então, nunca havíamos participado de nenhum estudo sobre o casamento. Eu não sabia o que me esperava e, sinceramente, minhas expectativas eram negativas. Achei que nunca, nada nem ninguém mudaria Jim. Durante e depois do seminário, ele quase não falou. Parecia que estava gostando do assunto; achou o senhor até muito engraçado. Mas não comentou comigo sobre nenhuma das idéias do seminário. Não esperava mesmo que o fizesse, tampouco lhe perguntei alguma coisa. Como já disse, eu já tinha desistido de esperar alguma mudança. Como o senhor bem sabe, o seminário terminou no sábado à tarde. Naquele dia à noite e no domingo, as coisas foram como sempre, porém, na segunda-feira à tarde, ele chegou do trabalho e me trouxe uma rosa.

Fez uma nova pausa, para respirar fundo e prosseguiu:

— "Onde você arrumou isso?", eu lhe perguntei, e ele respondeu: "Comprei de um vendedor de flores. Achei que você gostaria de ganhar uma rosa".

— Eu comecei a chorar e agradeci comovida. Logo descobri que ele tinha comprado a rosa de um vendedor, em alguma esquina. De fato eu havia visto um naquele dia. Mas isso não importava, pois o que valia é que ele me trouxera a rosa. Na terça-feira à tarde ele me ligou do escritório e me perguntou o que eu acharia de ele levar uma pizza para o jantar. Ele pensou que talvez eu gostaria de não cozinhar naquela noite. Disse-lhe que achava a idéia ótima, e ele levou a pizza. Nós gostamos muito daquela pizza; as crianças também gostaram muito e lhe agradeceram. Dei-lhe um abraço e manifestei minha sincera apreciação por tudo.

Fez uma pequena pausa e prosseguiu:

— Ao chegar em casa na quarta-feira à noite, trouxe para cada um de nossos filhos um pacote de biscoitos e uma plantinha para mim. Disse que a rosa logo morreria e achava que eu gostaria de algo que durasse mais tempo. Eu pensei que tivesse alucinações! Não podia acreditar que Jim fizesse aquelas coisas, nem a razão delas. Na quinta-feira após o jantar, ele me deu um cartão onde tinha escrito que, apesar de não saber dizer seu amor por mim, gostaria que eu soubesse o quanto eu significava para ele. Novamente chorei e sem relutância abracei-o e beijei-o. Nessa hora ele falou: "Por que não arrumamos uma babá para ficar em casa no sábado à noite e vamos jantar fora?". Meio zonza, respondi que seria maravilhoso. Na sexta-feira à noite, ao voltar para casa, ele passou em uma doçaria e comprou um pacotinho com nossos doces preferidos. De novo, ele nos fez uma surpresa e disse que aquela era nossa sobremesa.

Janice parou novamente para suspirar profundamente e prosseguiu:

— No sábado à noite, eu estava nas nuvens. Não tinha idéia do que tinha acontecido a Jim, nem se aquilo duraria muito tempo. Só sabia que adorava cada minuto. Após nosso jantar naquele sábado, disse-lhe que não entendia aquela sua atitude e pedi que ele me contasse o que tinha acontecido.

Nesse momento, ela olhou para mim muito séria e disse:

— Dr. Chapman, quero que o senhor entenda exatamente o que ocorreu. Este homem, depois que nos casamos, nunca mais me dera uma flor; jamais me dedicara um único cartão. Ele sempre dizia que comprá-los era desperdício de dinheiro, porque você olhava uma vez e depois os jogava fora. Acredite ou não, só saímos para jantar uma única vez em cinco anos. Nunca comprou nada para as crianças, e esperava que eu comprasse somente o extremamente essencial. Jamais levou uma pizza para jantarmos. Esperava encontrar a comida pronta todas as noites, ao chegar em casa. Tenho grande prazer em dizer que aconteceu uma mudança radical de comportamento.

Nesse momento, perguntei a Jim:

— O que você respondeu quando, ainda no restaurante, ela lhe perguntou o que acontecera?

— Disse a ela que, ao ouvir seu seminário sobre as linguagens do amor, compreendi que a linguagem dela era Presentes. Nesse momento, também percebi que havia muitos anos não lhe dava um único presente. Para ser sincero, creio que não lhe dei nada desde nosso casamento. Lembro-me de que, quando namorávamos, costumava trazer-lhe flores e outros presentinhos, mas depois que nos casamos achei que não deveria mais arcar com essa despesa. Contei-lhe então que decidira dar-lhe durante uma semana um presente por dia e observaria se aquilo causaria alguma mudança nela. Tenho de admitir que presenciei uma enorme diferença em suas atitudes durante aquela semana.

Fez uma pequena pausa e prosseguiu:

— Eu disse a ela também que o senhor tinha razão ao dizer que conhecer a linguagem certa do amor era a chave para fazer o cônjuge se sentir amado. Pedi perdão por ter sido tão durão todos aqueles anos e por ter falhado em suprir sua necessidade de sentir-se amada. Disse a ela que realmente a amava e gostava de todas as coisas que ela fazia por mim e pelas crianças; que, com a ajuda de Deus, me tornaria um especialista em presentear e me aprimoraria nisso por toda a minha vida. Nessa hora, Janice me disse: "Mas, Jim, você não pode continuar a me comprar presentes todos os dias pelo resto da vida. Não há orçamento que agüente isso!", e respondi: "Pode ser que não dê para comprar todos os dias, mas pelo menos acho que uma vez por semana. Isso soma 52 presentes por ano que você deixou de receber nos últimos cinco anos. E quem disse que vou comprar todos eles? Posso muito bem fazer alguns ou utilizar a idéia do dr. Chapman de na primavera apanhar uma flor do jardim.

Janice então o interrompeu:

— Dr. Chapman, que eu me lembre, ele não deixou de me dar presentes nenhuma semana nos últimos três anos. Ele é um novo homem. O senhor não acredita como estamos felizes! Nossos filhos nos chamam de pombinhos apaixonados. Meu "tanque" está transbordando!

Virei-me para Jim e perguntei:

— E você, Jim, também se sente amado por Janice?

— Eu sempre me senti amado por ela, dr. Chapman. Ela é a melhor dona de casa do mundo! Cozinha como ninguém.

Minhas roupas estão sempre limpas e passadas. Ela é ótima para lidar com as crianças. Sei que ela me ama.

Ele sorriu e continuou:

— Minha linguagem do amor está muito óbvia para o senhor, não é?

Concordei com ele. E também com ela, ao lembrar da palavra milagre utilizada ao início de nossa conversa.

Não é necessário que os presentes sejam caros e oferecidos semanalmente. Para algumas pessoas, o valor deles não está em quanto se paga por eles, mas sim no amor implícito.

No Capítulo 7, vamos esclarecer a linguagem do amor de Jim.

Palavras de afirmação
Tempo de qualidade
Presentes
Atos de serviço
Toque físico

7
Quarta linguagem do amor:
Atos de serviço

A ntes de nos despedirmos de Jim e Janice, vamos rever a resposta dele à minha pergunta:

— Você se sente amado por Janice?

— Eu sempre me senti amado por ela, dr. Chapman. Janice é a melhor dona de casa do mundo! Cozinha como ninguém. Minhas roupas estão sempre limpas e passadas. Ela é ótima para lidar com as crianças. Sei que ela me ama.

A primeira linguagem do amor de Jim é o que chamo de Atos de Serviço, ou seja, aquilo que você sabe que seu cônjuge gostaria que você fizesse. É procurar agradar realizando coisas que ele aprecia, expressando amor por diversas formas de "atos de serviço".

Essas formas podem ser as mais variadas possíveis, como preparar uma boa refeição, pôr uma mesa bem arrumada, lavar a louça, passar o aspirador, arrumar a cômoda, limpar o pente, tirar os cabelos da pia, remover as manchinhas brancas do espelho (aquelas causadas por creme dental), retirar os insetos mortos do vidro do carro, levar o lixo para fora, trocar a fralda do bebê, pintar o quarto, tirar o pó da estante, fazer a manutenção do carro, limpar a garagem, cortar a grama, limpar o mato do jardim, retirar as folhas mortas, tirar o pó da persiana, levar o cachorro para passear, alimentar o gato, trocar a água do aquário — todos atos de de serviço. Para que sejam realizados, é necessário pensar, planejar e executar (gasto de força e energia). Se cumpridos com o espírito certo e positivo, são incontestáveis expressões de amor.

Jesus Cristo deu um exemplo simples, porém profundo, ao expressar amor por meio de um ato de serviço quando lavou os pés dos discípulos.[1] Numa cultura em que as pessoas usavam sandálias e caminhavam por estradas poeirentas, era costume os servos da casa lavar os pés dos convidados que chegassem. Depois daquela simples expressão de amor, o Filho de Deus encorajou seus discípulos a seguir seu exemplo.

Jesus dissera que, em seu Reino, os que desejavam ser grandes deveriam ser servos um dos outros. Na maioria das sociedades existentes, o maior reina sobre o menor, mas Cristo disse que os que quisessem ser grandes deveriam servir aos outros. O apóstolo Paulo resumiu essa filosofia ao dizer: "Sede, antes, servos uns dos outros, pelo amor".[2]

Observei o impacto de Atos de Serviço numa pequena cidade da Carolina do Norte, chamada China Grove. Localiza-se na parte central dessa região, fundada nos arredores da floresta de cinamomos, perto da lendária Mayberry de Andy Griffith, distante uma hora e meia do monte Pilot. Na

[1]João 13:3-17.
[2]Gálatas 5:13.

época em que esta história aconteceu, China Grove era uma cidade têxtil, com uma população de 1 500 habitantes. Em vista de meus estudos de antropologia, psicologia e teologia, estive fora dessa região durante mais de dez anos. Eu estava em uma das duas visitas anuais que costumava fazer, para manter contato com minhas raízes.

A maioria das pessoas que eu conhecia, com exceção do dr. Shin, o médico local, e dr. Smith, o dentista, trabalhava no moinho. Havia, naturalmente, o pastor Blackburn, dirigente da congregação evangélica local. Para a maioria das pessoas que moravam em China Grove, a vida concentrava-se no trabalho e na igreja. A conversa no moinho era sobre a última decisão do superintendente e como ela afetara particularmente o próprio trabalho. O foco dos cultos eram principalmente as futuras alegrias do céu. Naquela distante região norte-americana, descobri a quarta linguagem do amor.

Estava em pé debaixo de um cinamomo, após o culto de domingo, quando Mark e Mary aproximaram-se de mim. Não reconheci nenhum deles. Deduzi que haviam nascido enquanto estive fora. Apresentando-se, Mark disse:

— Pelo que entendi, o senhor ministra estudo sobre aconselhamento conjugal, não é verdade?

Sorri e respondi:

— Sim, estou começando.

Ele me perguntou:

— É possível que um casamento dê certo se o casal discorda em tudo?

Era uma daquelas perguntas teóricas que eu sabia ter um fundo pessoal.

Desconsiderei a conotação teórica e perguntei:

— Há quanto tempo vocês estão casados?

— Dois anos. E não concordamos em nada!

— Dê-me um exemplo.

— Bem, para começar, Mary não gosta que eu vá caçar. Trabalho a semana inteira no moinho e, aos sábados, gosto de percorrer a floresta. Não são todos os sábados, mas quando a temporada de caça está aberta. Mary, que estava calada até aquele momento, disse:

— Quando a estação de caça não está aberta, ele vai pescar. E não é verdade que ele caça somente aos sábados. Ele sai do trabalho para ir caçar.

— Uma, ou duas vezes por ano, tiro dois ou três dias de licença e, com outros colegas, saio para caçar nas montanhas. Não vejo mal algum nisso!

— Em que mais vocês discordam? — perguntei.

— Bem, ela quer que eu vá à igreja toda hora. Não me importo de ir aos cultos no domingo de manhã, mas prefiro descansar à noite. Tudo bem que ela queira ir, mas não acho que eu precise estar lá também.

Mary interrompeu novamente:

— Você também não quer que eu vá! Faz um escândalo cada vez que eu saio para ir à igreja.

Sabia que aquela conversa não deveria continuar ali, embaixo da árvore e em frente à igreja. Como um jovem aspirante a conselheiro, achei que estava numa situação muita complicada para mim, mas como tinha sido treinado para fazer perguntas e ouvir, continuei:

— Em que mais vocês discordam?

Dessa vez, Mary respondeu:

— Ele quer que eu fique em casa o dia inteiro e faça todo o serviço doméstico. Fica simplesmente maluco se eu visito minha mãe, saio para fazer compras ou algo assim.

Ele logo interrompeu:

— Eu não me importo que ela visite a mãe, mas gosto de achar tudo em ordem quando chego em casa. Há semanas em que ela passa três ou quatro dias sem arrumar a cama; ou, quando chego do trabalho, ela nem começou a preparar o jantar. Trabalho muito e gostaria de jantar logo que chego. Além disso, a casa está sempre na maior bagunça! Há brinquedos do bebê espalhados por todo lugar, e ele está sempre sujo. Não gosto de sujeira. Acho que ela se sentiria feliz se vivesse em um chiqueiro. Não somos ricos e moramos em uma pequena casa do moinho, mas pelo menos ela poderia ser limpa!

Mary então perguntou:

— O que o senhor acha de ele me dar uma ajuda em casa? Ele age como se o marido não precisasse ajudar. Tudo o que ele quer é trabalhar e caçar. Espera que eu faça o resto. Por ele, eu teria até de lavar o carro!

Pensando que seria melhor procurar alguma forma de ajudar em vez de buscar mais problemas, perguntei a ele:

— Mark, quando namoravam, antes de se casarem, você já ia caçar todos os sábados?

— Na maioria. Mas eu sempre chegava em casa a tempo de vê-la no sábado à noite. Ainda tinha a oportunidade de lavar meu carro, antes de encontrá-la. Eu não gostava de sair com minha caminhonete suja.

— Mary, quantos anos você tinha quando se casou? — perguntei.

— Dezoito. Casamos logo que terminei o colegial. Mark formou-se um ano antes de mim e já trabalhava.

— No último ano do colegial, Mark via você constantemente?

— Sim, ele me visitava quase todas as noites. Chegava à tarde e muitas vezes ficava para jantar com toda a família. Costumava ajudar-me nas tarefas da casa e depois nos conversávamos até a hora do jantar.

— Mary, o que vocês dois faziam depois do jantar?

Ela olhou para mim com um sorriso sem graça e disse:

— Bem, o que os namorados costumam fazer... Mas se eu tivesse algum dever escolar, ele sempre me ajudava. Algumas vezes estudávamos horas juntos. Certa vez fui encarregada de criar um projeto de Natal para a classe que iria se formar. Ele me ajudou todas as tardes, durante três semanas. Ele foi sensacional!

Resolvi avançar na área das discórdias.

— Mark, quando os dois namoravam, você costumava ir com Mary à igreja aos domingos à noite?

— Sim. Se não fosse, não tinha como vê-la no domingo; o pai dela era superexigente.

— E ele nunca reclamou disso! — Mary acrescentou. — Na verdade parecia gostar de ir. Até nos ajudou na programação de Natal! Quando terminamos o primeiro projeto, começamos a preparar o palco para a peça de Natal. Ficamos umas duas semanas envolvidos naquilo. Ele é muito talentoso para pintar e montar cenários.

Achei que começava a enxergar alguma luz no fim do túnel, mas temia que Mark e Mary não a vissem. Olhei para ela e perguntei:

— O que a convenceu de que Mark a amava durante o namoro? O que o diferenciou dos outros rapazes que você conhecia?

— A forma como ele me ajudava a fazer as coisas. Ele colaborava com tanto entusiasmo! Nenhum dos outros rapazes demonstrou esse interesse, mas parecia realmente natural em Mark. Ele chegava até a me ajudar a lavar a louça quando ia jantar em minha casa. Ele era a pessoa mais maravilhosa que eu já tinha conhecido. Mas bastou nos casarmos, e tudo mudou! Ele não fez mais nada!

Dirigi-me novamente para Mark e perguntei:

— Em sua opinião, por que você acha que fazia todas aquelas coisas para ela e com ela, antes de se casarem?

— Na época, para mim era natural. É o que esperamos que alguém faça se gosta de nós.

— E por que você acha que parou de ajudá-la depois do casamento? — questionei.

— Eu acho que pensei que as coisas deveriam ser como em minha família. Meu pai trabalha e minha mãe toma conta da casa. Nunca vi meu pai passar aspirador na casa, lavar louça ou fazer qualquer serviço doméstico. Como minha mãe não trabalha fora, ela mantém a casa sempre limpa, cozinha, lava e passa. Acho que simplesmente pensei que deveria agir como meu pai.

Torcendo para que ele raciocinasse como eu, perguntei:

— Mark, um minuto atrás o que você ouviu Mary dizer sobre o que a fez se sentir amada durante o namoro?

Ele respondeu:

— O fato de eu ajudá-la a fazer as coisas.

E continuei:

> Os pedidos direcionam o amor, mas as cobranças impedem que ele seja liberado.

— Você consegue entender como ela se sentiu rejeitada quando parou de ajudá-la?

Ele meneou a cabeça. Prossegui:

— Também é compreensível que você tenha seguido o modelo do casamento de seus pais. A maioria de nós faz isso, mas sua mudança de comportamento com Mary foi muito radical. Ela acabou pensando que seu amor havia terminado.

Olhei para Mary e disse-lhe:

— O que você ouviu Mark responder sobre o motivo que o levou a ajudá-la na época de namoro?

— Ele disse que são coisas que esperamos que uma pessoa faça por nós se ela nos ama. Ele fazia aquilo para demonstrar seu amor por mim.

Ela acrescentou que aquilo era natural nele. Porque na mente dele era essa a forma de demonstrar amor.

Então lhe perguntei:

— Quando vocês se casaram e passaram a morar na mesma casa, ele esperou ver o que você faria para demonstrar amor. As expectativas dele era que você mantivesse a casa limpa, cozinhasse etc. Resumindo, ele aguardou que fizesse coisas por ele como expressão de seu amor. Você entende que, como não a viu realizar o que esperava, ele passou a não se sentir mais amado?

Agora era Mary quem meneava a cabeça. Continuei:

— A meu ver você estão infelizes porque nenhum demonstra amor pelo outro com atos de bondade.

Mary disse:

— Acho que tem razão. Parei de fazer as coisas para ele porque me ressenti de tanta cobrança; era como se ele quisesse fazer com que eu ficasse igual à mãe dele.

Eu concordei com ela:

— Você está certa. Ninguém gosta de fazer as coisas por obrigação. O próprio amor deve ser espontâneo. O amor não pode ser obrigação. Podemos pedir que alguém faça algumas coisas para nós, mas não devemos exigi-las. Os pedidos direcionam o amor, mas as cobranças impedem que ele seja liberado.

Mark interrompeu-me e disse:

— É isso mesmo, dr. Chapman, ela está certa. Tenho realmente feito muitas cobranças e críticas a Mary porque estou decepcionado com ela como esposa. Disse mesmo algumas coisas muito cruéis que devem ter causado muito mágoa.

Olhando para os dois, falei:

— Acredito que as coisas agora possam ser consertadas. Tirei um bloco de papel do bolso e destaquei duas folhas:

— Vamos tentar uma coisa. Quero que cada um de vocês se sente nos degraus da igreja e faça uma lista de pedidos. Mark, faça uma relação de três ou quatro coisas com as quais, se Mary fizesse, você se sentiria amado ao chegar em casa no final do dia. Se ver as camas arrumadas é muito importante, coloque isso no papel.

Olhei para Mary e passei as mesmas orientações:

— Mary, quero que você faça uma lista de três ou quatro coisas com que realmente gostaria que Mark a ajudasse, atitudes que ajudariam você a acreditar no amor dele.

(Gosto muito de listas, pois nos forçam a pensar de forma concreta.)

Após cinco ou seis minutos, eles me entregaram as listas. A lista de Mark:

1. Arrumar as camas diariamente;
2. Lavar o rosto do bebê quando eu estiver prestes a chegar em casa;
3. Colocar os sapatos na sapateira antes que eu chegue em casa;
4. Tentar, pelo menos, começar o jantar antes de eu chegar, de forma que possamos jantar 30 a 45 minutos após minha chegada.

Li a lista de Mark em voz alta e disse:

— Posso entender que, se Mary decidir fazer essas quatro coisas, você as entenderá como demonstração de amor por você?

— É isso mesmo! Se ela fizer essas coisas, com certeza vai contribuir muito para que eu mude minha atitude com ela — ele respondeu.

Em seguida, li a lista de Mary:

1. Gostaria que ele lavasse o carro uma vez por semana e não esperasse isso de mim;
2. Gostaria que ele trocasse a fralda do bebê quando chegasse em casa, especialmente quando estou atarefada na cozinha;
3. Gostaria que ele passasse o aspirador na casa para mim, pelo menos uma vez por semana;
4. Gostaria que, no verão, ele cortasse a grama todas as semanas. Ela cresce tanto que chego a ter vergonha do nosso jardim.

Então eu disse:

— Mary, entendo o que você deseja. Se Mark decidir fazer essas quatro coisas, você as entenderá como formas genuínas de expressões de amor?

— É isso mesmo. Seria maravilhoso se ele fizesse essas coisas para mim.

— Essa lista parece razoável para você, Mark? — perguntei. — Você poderia fazê-las se quisesse?

— Sim — ele disse.

— Mary, você acha os itens da lista de Mark razoáveis? Poderia realizá-las se quisesse?

— Sim, eu posso fazer essas coisas, mas me sinto frustrada porque nunca é suficiente, não importa o quanto eu faça.

— Mark, você entende que proponho uma mudança do modelo de casamento que você tem?

— Sabe, meu pai corta a grama e lava o carro! — acrescentou.

— Mas pelo jeito ele nunca passou o aspirador na casa nem trocou fralda de nenhum dos filhos, certo?

— É!

— Você não é obrigado a fazer essas coisas, quero deixar isso bem claro; porém, se você as fizer, serão como expressões de amor para Mary.

Para Mary, eu disse:

— Você também precisa entender que não é obrigada a fazer as coisas da lista. Se decidir fazê-las, serão quatro formas que realmente terão significado para ele.

Olhei para os dois e disse:

— Gostaria de sugerir que vocês tentassem esse novo procedimento por dois meses e avaliassem se isso os ajudou ou não. Ao final desse período, talvez queiram acrescentar novos itens às listas e partilhá-las um com o outro. Eu, no entanto, recomendo que não acrescentem mais de um item por mês.

— Isso faz sentido — Mary disse.

— Acho que você nos deu uma grande ajuda — acrescentou Mark.

Os dois foram embora de mãos dadas e caminharam em direção ao carro.

Sozinho novamente, comecei a caminhar e disse em alta voz: "Acho que a igreja é para isso. Creio que vou gostar de trabalhar com aconselhamento!". Nunca mais esqueci o enfoque que obtive sob aquela árvore.

Após anos de pesquisa, percebi que a situação de Mark e Mary foi muito especial para mim. Raramente encontramos num casal a mesma linguagem do amor. Tanto para Mark como para Mary, Atos de Serviço era a primeira linguagem do amor. Centenas de pessoas identificam-se com uma ou outra e reconhecem que a principal forma pela qual sentem-se amadas pelo cônjuge é pelos Atos de Serviço.

Guardar os sapatos, trocar as fraldas do bebê, lavar a louça ou o carro, aspirar o pó ou cortar a grama falam muito alto para aqueles cuja primeira linguagem do amor é Atos de Serviço.

Talvez esteja se perguntando: "Mas se Mark e Mary tinham a mesma linguagem do amor, por que tinham tantos problemas?". A resposta está no fato de eles falarem dialetos diferentes. Eles faziam coisas um para o outro, mas não as que consideravam as mais importantes. Quando forçados a pensar de forma concreta, facilmente identificavam seus dialetos. Para Mary, era lavar o carro, trocar a fralda do bebê, aspirar o pó e cortar a grama, ao passo que para Mark era arrumar as camas, lavar o rosto do bebê, guardar os sapatos na sapateira e já ter metade do jantar pronto ao chegar em casa. Quando começaram a falar os dialetos certos, os "Tanques do Amor" de ambos começaram a encher. Como a primeira linguagem do amor deles era Atos de Serviço, aprender o dialeto específico de cada um foi relativamente fácil para eles.

Antes de nos despedirmos de Mark e Mary, gostaria de fazer três observações. Primeira, eles são um exemplo claro de que o que fazemos um para o outro antes do casamento, não é garantia de que faremos depois de casados. Antes do matrimônio somos levados pela força da paixão. Após o casamento, voltamos a ser as pessoas que éramos antes de nos apaixonarmos.

Nossas ações são influenciadas pelo modelo de nossos pais, nossa própria personalidade, nossa percepção do amor, nossas emoções, necessidades e nossos desejos. Há apenas uma certeza sobre nosso comportamento: ele não será o mesmo da época em que estávamos apaixonados.

E isso me leva à segunda verdade exemplificada por Mark e Mary. O amor é uma decisão, e não pode ser coagido. Mark e Mary criticavam o comportamento um do outro e não chegavam a lugar algum. Quando decidiram fazer pedidos em vez de cobranças, o casamento mudou de rumo. As críticas e cobranças não levam a lugar algum. O excesso de observações pode levar um cônjuge a concordar com o outro. Ele pode fazer as coisas do modo dele, mas muito provavelmente não será uma expressão de amor. Você pode dar outra direção ao amor por meio de pedidos: Eu gostaria muito que lavasse o carro, trocasse a fralda do bebê, cortasse a grama; porém, não há como colocarmos em alguém a vontade de fazê-lo. Cada um de nós decide diariamente amar ou não o cônjuge. Se escolhermos gostar dele, a expressão desse amor da forma que seu cônjuge solicita vai se tornar mais efetivo em termos emocionais.

> O que fazemos para o outro antes do casamento não é garantia de que continuaremos a fazer depois de casados.

Há uma terceira verdade, que somente é ouvida por casais mais maduros. As críticas do cônjuge sobre seu comportamento fornecem dicas valiosas a respeito da primeira linguagem do amor dele. As pessoas tendem a criticar mais os cônjuges na área de suas necessidades emocionais mais profundas. A observação deles é uma forma inútil de súplica amorosa. Se conseguirmos entender essa característica, tornaremos essas críticas mais produtivas. Uma esposa poderá dizer ao marido após ser observada por ele: "Parece que isso é algo muito importante para você. Gostaria que você me explicasse por que isso é tão importante para você". As críticas exigem explicações; uma conversa poderá transformar a crítica mais em pedido do que em cobrança. A constante reprovação de Mary sobre Mark gostar de caçar não significava que ela odiava o esporte. Para ela, o fato de Mark caçar o impedia de lavar o carro, aspirar o pó e cortar a grama. Quando ele aprendeu a suprir sua necessidade de amor ao falar sua linguagem emocional, ela se libertou para também o apoiar em seu esporte favorito.

CAPACHO ou SER AMADO?

"Eu o sirvo há vinte anos, incluindo todas as modalidades de serviço. Sou seu capacho porque ele simplesmente me ignora, me maltrata e me humilha na frente dos amigos e da família. Não o odeio; não lhe desejo mal, mas estou profundamente magoada e não quero mais viver com ele". Essa esposa utilizou Atos de Serviço durante vinte anos, mas sem expressão de amor. Seus atos demonstravam medo, culpa e ressentimento.

Um capacho é um objeto inanimado. Você pode limpar os pés nele, chutá-lo, colocá-lo de lado, ou fazer qualquer outra coisa que deseje. Ele não tem vontade própria. Pode servir a seu dono, mas não amá-lo. Quando nós, homens, tratamos a esposa como objetos, excluímos a possibilidade de receber amor. A manipulação que faz uso da culpa ("Se você fosse mesmo uma boa esposa, faria isso para mim") não é uma linguagem do amor. A coação pelo medo ("Acho melhor você fazer isso para mim, senão vai se arrepender") também não tem nada a ver com amor. Ninguém deve ser capacho. Podemos ser usados, mas somos criaturas com emoções, pensamentos e desejos; temos a capacidade de tomar decisões e agir. Usar ou manipular outras pessoas não é um ato de amor, mas de traição. Ao manipular, você induz a pessoa a desenvolver hábitos desumanos. O amor diz: "Como eu o amo muito, não vou permitir que me trate desse jeito. Não é bom para você nem para mim".

> Em vista das mudanças na sociedade dos últimos trinta anos, não há mais um estereótipo do papel do marido e nem da esposa na sociedade moderna.

SUPERANDO OS ESTEREÓTIPOS

O aprendizado da linguagem do amor Atos de Serviço implica que examinemos nosso estereótipo dos papéis de marido e esposa. Mark fazia o que a maioria de nós, maridos, geralmente faz. Seguia o modelo dos papéis assumidos pelos pais, mas não muito bem. Seu pai lavava o carro e cortava a grama. Mark não fazia nada disso, mas essa era a imagem mental do que ele pensava que o marido deveria fazer. Não resta a menor dúvida de que ele não se via limpando a casa nem trocando a fralda do bebê. Ainda bem que ele teve boa vontade em quebrar seu estereótipo ao perceber como as coisas eram importantes para

Mary. Isso será necessário para todos nós se a primeira linguagem do amor de nosso cônjuge solicitar algo que pareça inadequado a nosso papel.

Em vista das mudanças na sociedade dos últimos trinta anos, não há mais um estereótipo comum dos papéis de marido e esposa na sociedade moderna. Isso não significa, contudo, que todos os estereótipos tenham desaparecido, mas que seu número multiplicou. Antes da era da televisão, a imagem que as pessoas tinham de marido e esposa, e de como esse relacionamento deveria ser, era primeiramente influenciada pelos próprios pais. Com a invasão da televisão e com a proliferação da separação dos casais, o modelo desses papéis tornou-se muito influenciado por forças externas ao lar. Sejam quais forem suas percepções sobre esse relacionamento, é muito provável que seu cônjuge tenha expectativas diferentes sobre os papéis conjugais. É necessário "vontade" para examinar e mudar estereótipos e expressar amor de forma mais efetiva. Lembre-se, não há recompensas em se manter esses estereótipos, no entanto há grandes benefícios em atender às necessidades emocionais de seu cônjuge.

Há pouco tempo uma esposa me disse:

— Dr. Chapman, vou mandar todos os meus amigos assistir a seu seminário!

Eu lhe perguntei:

— Por quê?

— Porque meu casamento mudou radicalmente. Antes do seminário, Bob não me ajudava em nada. Nós começamos a carreira após a faculdade, mas sempre coube a mim fazer tudo em casa. Era como se nunca tivesse passado pela cabeça dele fazer alguma coisa. Depois do seminário ele passou a me perguntar de que forma poderia ajudar. Eu fiquei maravilhada! No início, nem acreditava que fosse verdade, mas essa atitude se mantém já por três semanas.

Ela suspirou profundamente e continuou:

— Tenho de admitir que houve situações cômicas durante essas três semanas, porque ele não sabia fazer nada! A primeira vez em que colocou a roupa para lavar, usou alvejante em vez de sabão líquido. Nossas toalhas azuis ganharam "lindas" bolas brancas. Depois, pela primeira vez ele usou o triturador de lixo. Algo estava estranho porque começou a sair espuma de sabão na pia ao lado. Nós paramos o processo; desligamos a máquina e coloquei a mão na abertura do aparelho. Tirei um pedaço de sabão em barra, que estava inteirinho antes daquela aventura. Mas ele me amava de acordo com minha linguagem e meu "Tanque do Amor" encheu pouco a pouco! Agora ele já sabe fazer tudo em casa e me ajuda muito. Temos, também, bons momentos juntos porque não preciso trabalhar o tempo todo. E, acredite, também aprendi a linguagem dele e mantenho seu "tanque" cheio.

— Foi assim tão simples?

Simples? Sim. Fácil? Não. Bob teve de se esforçar para romper o estereótipo com que viveu durante trinta e cinco anos. Não foi de um dia para outro, mas ele com certeza poderá dizer que ter aprendido a primeira linguagem do amor de sua esposa e tomado a decisão de utilizá-la fez uma enorme diferença no clima emocional de seu casamento.

Passemos, agora, para a quinta linguagem do amor.

Palavras de afirmação
Tempo de qualidade
Presentes
Atos de serviço
Toque físico

8
Quinta linguagem do amor:
Toque físico

Há muito se sabe que o toque físico é uma forma de se comunicar o amor emocional. Inúmeras pesquisas na área do desenvolvimento infantil chegaram às seguintes conclusões: os bebês que são tomados nos braços, beijados e abraçados desenvolvem uma vida emocional mais saudável do que os que são deixados durante um longo período de tempo sem contato físico. A importância do toque no que se refere às crianças não é uma idéia moderna. Durante o ministério de Cristo, os hebreus que moravam na Palestina reconheciam que Jesus era um grande mestre e levavam seus filhos até ele para que tocasse neles.[1] Como podemos nos lembrar, seus discípulos repreenderam aos pais daquelas crianças, pois acharam que o Filho de Deus estava ocupado demais para aquela atividade tão "frívola". Porém, as Escrituras afirmam-nos que Jesus se indignou com os seguidores e disse: "Deixai vir a mim os pequeninos, não os embaraceis, porque dos tais é o reino de Deus. Em verdade vos digo: 'Quem não receber o reino de Deus como uma

[1]Marcos 10:13.

criança de maneira nenhuma entrará nele'. Então, tomando-as nos braços e impondo-lhes as mãos, as abençoava".[2]

Pais sábios, em qualquer cultura, também tocam seus filhos de forma amorosa.

O toque físico é também um poderoso veículo de comunicação para transmitir o amor conjugal. Andar de mãos dadas, beijar, abraçar e manter relações sexuais são formas de comunicar o amor emocional para o cônjuge.

Os antigos costumavam dizer: "O caminho para conquistar o coração de um homem é pelo estômago". Muitos deles engordaram tanto a ponto de correr risco de morte, em virtude de as esposas serem adeptas dessa filosofia. Naturalmente, os antigos não se referiam ao coração físico, mas ao centro do romantismo. Seria mais adequado dizer: "A forma de alcançar o coração de alguns homens é pelo estômago". Lembro-me bem das palavras de um marido: "Dr. Chapman, minha esposa é uma cozinheira de forno e fogão. Ela passa horas cozinhando, faz os pratos mais elaborados que existem. E eu? Sou daqueles que gostam de purê e carne moída. Vivo dizendo que ela está passando muito tempo na cozinha. Eu adoro comida simples. Ela fica aborrecida e diz que não gosto dela. Mas eu a amo! Só gostaria que ela facilitasse as coisas para si mesma e não passasse tanto tempo com pratos tão trabalhosos. Dessa forma, passaríamos mais tempo juntos e ela teria mais energia para fazer outras coisas".

Obviamente, essas "outras coisas" chegavam mais perto de seu coração do que refeições sofisticadas. A esposa desse

[2]Marcos 10:14-16.

homem era emocionalmente frustrada. Ela nascera em uma família em que a mãe era excelente cozinheira e o pai sabia apreciar esses esforços. Ela se lembrava do pai dizer à mãe: "Quando me sento à mesa e vejo uma refeição destas diante de mim, é mais fácil amar você". Seu pai diariamente elogiava os quitutes feitos por sua mãe. Em particular e em público ele elogiava os dotes culinários da esposa. Aquela filha aprendera direitinho o modelo deixado pela mãe. O problema é que ela não estava casada com o pai. Seu marido tinha uma linguagem do amor muito diferente.

Em minha conversa com ele, não levou muito tempo para eu descobrir que as "outras coisas" a que se referia era sexo. Quando a esposa reagia de forma positiva sobre a relação sexual, ele sentia segurança em seu amor. No entanto, quando por algum motivo ela se esquivava do marido, nem toda a sua habilidade culinária era suficiente para convencê-lo de que o amava. Ele não era contra os pratos elaborados, mas em seu coração eles não poderiam, de forma alguma, substituir aquilo que ele considerava "amor".

A relação sexual, porém, é somente um dialeto na linguagem do toque físico. Dos cinco sentidos, o do toque diferencia-se dos outros quatro, pois não se limita a uma região específica em nosso organismo. Há pequenos receptores táteis espalhados no corpo todo. Quando esses receptores são tocados ou apertados, os nervos carregam os impulsos para o cérebro, que os interpreta e por isso percebemos o objeto do toque como quente ou frio, áspero ou macio, dolorosos ou prazerosos, e amorosos ou hostis.

> O toque físico pode
> iniciar ou terminar
> um relacionamento.
> Pode comunicar
> ódio ou amor.

Algumas partes do corpo são mais sensíveis do que outras. A diferença deve-se ao fato de os pequenos receptores táteis não estarem espalhados aleatoriamente por nosso organismo, mas sim distribuídos em grupos. Portanto, a ponta da língua é altamente sensível ao toque, ao passo que a região atrás dos ombros é uma das menos sensíveis. A ponta dos dedos e do nariz é também uma área extremamente sensível. Nosso objetivo, no entanto, não é entender as bases neurológicas das sensações do toque, mas sua importância psicológica.

O toque físico pode iniciar ou terminar um relacionamento. Pode comunicar ódio ou amor. A pessoa cuja primeira linguagem do amor é Toque Físico receberá uma mensagem que vai muito além das palavras "Eu odeio você" ou "Eu amo você". Um tapa no rosto é difícil para qualquer criança, mas para aquela que tem o Toque Físico como primeira linguagem do amor será devastador. Um abraço afetuoso comunica amor a qualquer criança, mas aquela cuja primeira linguagem é Toque Físico desfrutará de forma mais intensa o gesto, sentindo-se amada e segura. A mesma atitude é válida para os adultos.

No casamento, o toque de amor existe em várias formas. Levando-se em conta que os receptores ao toque localizam-se por todo o corpo, um afago amoroso em qualquer parte pode comunicar amor ao cônjuge. Isso não significa que todos os toques sejam iguais. Seu cônjuge apreciará mais alguns do que outros. Seu melhor professor, sem dúvida alguma, será seu próprio cônjuge. Afinal de contas, é para ele que você demonstrará amor. Ele sabe exatamente o tipo de toque que mais lhe agrada. Não insista em tocá-lo do seu jeito e tempo. Aprenda a falar o dialeto do cônjuge, pois alguns toques podem ser considerados desconfortáveis ou irritantes. A insistência em praticar tais atos pode comunicar o oposto ao amor. Talvez afirme que você não é sensível às necessidades dele e não se importe com sua percepção de prazer. Não caia no erro de achar que aquilo que lhe é prazeroso também é para o cônjuge.

Os toques amorosos podem ser explícitos e exigir sua completa atenção, como afago nas costas e jogos sexuais que terminem em uma relação. No entanto, também podem ser implícitos e breves, como um toque nos ombros ao encher uma xícara de café, ou um rápido roçar no corpo ao passar pela cozinha. Toques explícitos, naturalmente, levam mais tempo, não somente a prática deles em si, como também a percepção de como progredir quando se visa comunicar amor dessa forma ao cônjuge. Se uma massagem nas costas comunica eficazmente seu amor ao cônjuge, todo tempo, dinheiro e energia que você gastar para aprender a ser um bom massagista será, sem dúvida, um bom investimento. Se a relação sexual for o primeiro dialeto de seu parceiro, leia e converse sobre a arte do amor sexual de forma a aprimorar sua expressão de amar.

Os toques implícitos de amor levam menos tempo; porém desenvolvem o treinamento, especialmente se o Toque Físico não for sua primeira linguagem do amor, e se você cresceu em uma família em que as pessoas não se expressavam dessa forma. Sentar pertinho do cônjuge no sofá para assistir à televisão não exigirá tempo extra e comunicará amor.

Os pequenos toques ao passar por seu cônjuge implicam frações de segundos. Afagos ao sair e ao chegar em casa podem envolver beijos e abraços ligeiros, mas falarão muito alto para seu cônjuge. Ao descobrir que Toque Físico é a primeira linguagem do amor de seu cônjuge, sua única limitação é a própria imaginação quanto às formas de expressar amor. Descobrir novas formas e lugares de toque pode ser um excitante desafio. Se você não tem o hábito de "tocar sob a mesa", descobrirá que essa prática poderá acender fagulhas quando jantarem fora. Você poderá encher o "Tanque do Amor" de seu cônjuge se caminhar de mãos dadas até chegar ao carro, mesmo que você não tenha o hábito de fazer isso em público. Se você, normalmente, não beija o cônjuge ao entrar no carro, poderá descobrir que esse gesto tornará sua viagem mais atraente. Abraçar sua esposa antes de ela sair para as compras poderá, além de expressar amor, trazê-la mais rápido para casa. Tente novos toques em novos lugares e pergunte a seu cônjuge o que sentiu: se sentiu prazer ou não. Lembre-se: a última palavra é a do cônjuge. Você está aprendendo a falar a língua dele.

O CORPO EXISTE PARA SER TOCADO

Tudo o que há em mim reside em meu corpo. Tocar em mim significa afagá-lo. Afastar-se dele é distanciar-se de mim emocionalmente. Em nossa sociedade, um aperto de mão comunica acordo e exclusividade. Quando, em raras ocasiões, um homem recusa apertar a mão de outro, a mensagem que essa atitude comunica é que as coisas não vão bem naquela amizade. Todas as sociedades têm formas de toque físico como cumprimento social. A maioria dos homens norte-americanos não se sente confortável com fortes abraços e beijos, mas na Europa eles têm a mesma função de um aperto de mão.

Em cada sociedade há formas adequadas e inadequadas de tocar as pessoas do sexo oposto. A recente atenção recebida pelos assédios sexuais tem evidenciado as formas inapropriadas. No casamento, entretanto, tudo isso é determinado pelo casal, dentro de algumas amplas diretrizes. Abuso físico é, naturalmente, condenado pela sociedade e existem organizações sociais cujo objetivo é ajudar tanto esposas quanto maridos vítimas dos excessos. Nosso corpo foi feito para o toque, não para o abuso.

O século XX caracterizou-se pela abertura e liberdade sexual. Essa conquista, porém, demonstrou que o casamento em que os cônjuges são livres

> Se a primeira linguagem do amor do cônjuge for Toque Físico, nada será mais importante do que abraçá-lo quando chorar.

para manter relações sexuais com outros parceiros é uma ilusão. Os que não discordam disso por motivos morais, não aceitam por razões emocionais. Há alguma coisa em nossa necessidade de intimidade e amor que nos impede de dar essa liberdade ao cônjuge. A dor emocional é profunda e a intimidade evapora-se quando tomamos conhecimento de que nosso cônjuge está envolvido sexualmente com outra pessoa. Os arquivos dos conselheiros estão repletos de registros de maridos e esposas que tentam superar o trauma emocional da infidelidade do cônjuge. Esse problema, entretanto, é multiplicado para aquele cuja primeira linguagem do amor é Toque Físico. É por isso que machuca tanto — o Toque Físico como expressão do amor — agora que é dado a outra pessoa. Não é que o tanque emocional tenha se esvaziado; o fato é que ele explodiu! Serão necessários inúmeros reparos para que aquelas necessidades emocionais sejam supridas.

AS CRISES E O TOQUE FÍSICO

De forma mais ou menos instintiva, nos abraçamos em tempos de crise. Por quê? Porque o Toque Físico é um poderoso comunicador de amor. Em épocas difíceis, mais do que em outras, precisamos nos sentir amados. Nem sempre devemos mudar as situações, mas podemos superá-las se nos sentirmos amados.

Todos os casamentos atravessam crises. A morte dos pais é inevitável. Acidentes automobilísticos incapacitam e matam centenas de pessoas ano após ano; enfermidades não respeitam ninguém; frustrações fazem parte da vida. A coisa mais importante a ser feita por seu cônjuge quando ele atravessa alguma crise na vida é amá-lo. Se a primeira linguagem do amor do cônjuge for Toque Físico, nada será mais importante do que abraçá-lo quando chorar. Suas palavras talvez não tenham muita importância, mas o toque físico comunicará que você se preocupa com ele. As crises propiciam uma oportunidade singular de expressar amor. Toques afetuosos serão lembrados muito tempo ainda após as dificuldades terem passado. Porém, a ausência do toque talvez jamais seja esquecida.

Desde minha primeira visita a West Palm Beach, na Flórida, muitos anos atrás, recebo com alegria os convites para voltar e apresentar meus seminários naquela região. Em uma dessas ocasiões, conheci Pete e Patsy. Eles não eram originários da Flórida (poucos o são), mas já moravam ali havia vinte anos e sentiam-se em casa. Meu seminário foi promovido pela igreja local e no trajeto do aeroporto para a igreja o pastor comunicou-me que Pete e Patsy haviam solicitado que eu passasse a noite na casa deles. Procurei demonstrar satisfação, mas sabia, por experiências anteriores, que aquele tipo de solicitação implicaria uma sessão de aconselhamento até altas horas da madrugada. No entanto, eu me surpreenderia mais de uma vez naquela noite.

Quando o pastor e eu adentramos aquela espaçosa casa em estilo espanhol, decorada com muito bom gosto, fui apresentado a Patsy e Charlie, o gato da família. Ao olhar ao redor pude comprovar que ou os negócios de Pete iam muito bem, ou seus pais deixaram-lhe uma grande fortuna, ou ele estava enterrado em dívidas. Depois descobri que meu primeiro palpite estava correto. Quando me levaram ao quarto de hóspedes, Charlie, o gato, antecipou-se e pulou na cama onde eu dormiria, e esticou-se muito à vontade. Eu pensei: "Esse gato está com tudo!".

Pete chegou logo depois e comemos um delicioso lanche. Combinamos que jantaríamos após o seminário. Várias horas mais tarde, enquanto jantávamos, eu aguardava o momento em que a sessão de aconselhamento começaria, mas não começou. Ao contrário do que imaginei, Pete e Patsy formavam um casal saudável e feliz. Para um conselheiro isso é uma raridade. Estava curioso para descobrir qual era o segredo deles, mas estava exausto. Como sabia que me levariam no dia seguinte ao aeroporto, decidi fazer minha sondagem ao amanhecer. Então, conduziram-me a meu quarto.

Charlie, o gato, foi muito gentil em deixar o quarto quando cheguei. Saltando da cama, ele procurou outro local e eu, em poucos minutos, assumi seu lugar naquele confortável leito. Após uma rápida reflexão sobre aquele dia, adormeci. Antes, porém, que perdesse o contato com a realidade, a porta do quarto foi escancarada e um monstro pulou sobre mim! Eu ouvira falar sobre o escorpião da Flórida, mas aquele não era um deles. Sem pensar sacudi o lençol que me cobria e com um grito lancinante atirei-o contra a parede. Ouvi seu corpo bater, seguido de um silêncio. Pete e Patsy correram, acenderam a luz e nós três olhamos para Charlie, ainda estendido no chão.

Pete e Patsy sempre se lembram disso e jamais me esquecerei. Charlie recobrou-se em alguns minutos e saiu rapidinho dali. Para falar a verdade, Pete e Patsy contaram-me que ele nunca mais entrou naquele quarto!

Após meu episódio com Charlie, não sabia se Pete e Patsy ainda me levariam ao aeroporto, nem se teriam algum interesse por mim. Meus temores, no entanto, desaparecerem quando após o seminário ele me disse:

"Dr. Chapman, já cursei vários seminários, mas nunca ouvi uma descrição tão clara a respeito de Patsy e de mim como a que o senhor fez. A linguagem do amor é realmente uma verdade. Não vejo a hora de lhe contar nossa história!". Após despedir-me das pessoas presentes no seminário, saímos a caminho do aeroporto, em nosso percurso de quase 45 minutos. Pete e Patsy começaram, então, a contar-me a história deles. Nos primeiros anos de casamento tiveram grandes problemas. Porém, vinte e dois anos antes, seus amigos diziam-lhes que formavam um casal perfeito. Pete e Patsy realmente acreditavam que seu matrimônio "fora realizado nos céus".

Eles cresceram na mesma comunidade, freqüentaram a mesma igreja e estudaram no mesmo colégio. Seus pais tinham estilos de vida e valores semelhantes. Pete e Patsy apreciavam muitas coisas em comum. Ambos gostavam muito de jogar tênis, velejar e sempre conversavam a respeito de como tinham os mesmos interesses. Eles pareciam ter todas as afinidades que julgamos necessárias para reduzir os conflitos em um casamento.

Começaram o namoro no segundo ano da faculdade; faziam cursos diferentes, mas sempre arrumavam um jeito de se encontrar pelo menos uma vez por mês e em algumas ocasiões especiais. Ainda na faculdade estavam convencidos de que "haviam nascido um para o outro". Ambos, no entanto, concordaram em terminar a faculdade antes de se casar. Pelos três anos seguintes tiveram um relacionamento idílico. Um final de semana ele a visitava em seu câmpus; no outro, era a vez dela retribuir a visita dele. No final de semana seguinte, eles iam para a casa visitar a família, mas a maior parte do tempo também ficavam juntos. No quarto final de semana de cada mês, no entanto, ambos concordaram que não se veriam e usariam o tempo para desenvolver atividades de seus interesses pessoais. Com exceção de eventos especiais como aniversários, realmente respeitavam esse planejamento. Três semanas após receberem o diploma, ele em economia e ela em sociologia, casaram-se. Dois meses depois, mudaram para a Flórida onde apareceu uma ótima chance de emprego para Pete. Eles estavam a 3.200 quilômetros de distância do parente mais próximo e podiam desfrutar uma eterna lua-de-mel.

Os primeiros três meses foram emocionantes — mudar, achar um apartamento e curtir um ao outro. O único motivo de conflito que tinham era a louça para lavar. Pete achava que ele tinha uma técnica mais eficiente para aquela tarefa. Patsy, no entanto, não concordava com aquela idéia. Chegaram, então, à conclusão de que aquele que lavasse a louça utilizaria a forma desejada, e aquela discussão acabou. Eles tinham mais ou menos seis meses de casamento quando Patsy achou que Pete estava se afastando dela. Trabalhava horas além do expediente normal e, ao chegar em casa, passava tempo demais no computador. Quando finalmente conseguiu manifestar sua desconfiança a Pete, ele respondeu que não a estava evitando, mas sim tentava manter-se no auge de seu emprego. Disse também que ela não compreendia a pressão que ele sofria no trabalho e o quanto era importante que ele se saísse bem no primeiro ano de atividade. Patsy não ficou muito satisfeita, mas resolveu dar-lhe o espaço solicitado.

> Ao final do primeiro ano, Patsy estava desesperada.

Patsy fez amizade com diversas senhoras que moravam no mesmo condomínio onde ela residia. Quando sabia que Pete trabalharia até mais tarde, fazia compras com suas amigas em vez de ir para casa após o trabalho. Algumas vezes ela ainda estava ausente quando ele chegava. Aquilo o aborrecia muito e ele passou a acusá-la de negligência e irresponsabilidade. Patsy respondia:

— Parece o roto falando do esfarrapado! Quem é o irresponsável? Você não se dá ao trabalho nem de telefonar para avisar a que hora vai chegar em casa... Como posso esperá-lo, se nem ao menos sei quando virá?! E, quando chega, fica o tempo todo colado naquela droga de computador. Você não precisa de uma esposa; tudo do que precisa é um computador.

Pete, então, respondeu em um tom de voz mais alto:

— Eu pre-ci-so de u-ma es-po-sa. Será que você não entende? O ponto é exatamente esse. Eu pre-ci-so de u-ma es-po-sa!

Mas Patsy não conseguia entender. Ela estava muito confusa. Em sua busca de respostas foi a uma biblioteca pública e leu vários livros sobre casamento. Ela pensava: "O casamento não pode ser desse jeito! Eu tenho que achar uma resposta para a nossa situação". Quando ele ia para o computador, ela pegava firme no livro. Durante várias noites lia direto até meia-noite. Pete, ao se deitar, percebia o que ela estava fazendo e lá vinham comentários sarcásticos, do tipo:

— Se você tivesse lido todos esses livros quando estava na faculdade, teria tirado A em todas as matérias!

Patsy respondia:

— Só que eu não estou na faculdade. Estou casada e, no momento, ficaria muito satisfeita com um "C"!

Pete então ia para a cama, sem dizer mais nada; só a olhava.

Ao final do primeiro ano, Patsy estava desesperada. Ela já tinha falado com Pete sobre aquilo, mas dessa vez lhe disse com calma:

— Vou procurar um conselheiro conjugal. Você gostaria de ir comigo?

Pete então respondeu:

— Não preciso de um conselheiro conjugal. Não tenho tempo para isso nem posso pagar uma consulta!

— Então, eu vou sozinha — disse Patsy.

— Tudo bem, é você quem precisa de conselhos.

A conversa terminou. Patsy sentiu-se totalmente abandonada e sozinha, mas na semana seguinte marcou uma consulta com um conselheiro conjugal. Após três semanas o psicólogo entrou em contato com Pete e perguntou se ele poderia conversar com ele sobre suas perspectivas a respeito do casamento. Pete concordou, e o processo de cura começou. Seis meses depois eles deixavam o consultório do conselheiro com o casamento renovado.

Eu perguntei a Pete e Patsy:

— O que foi que vocês aprenderam no aconselhamento que favoreceu essa virada em seu casamento?

— Em resumo, dr. Chapman, aprendemos a falar a primeira linguagem do amor um do outro. O conselheiro não usou essa nomenclatura, mas quando o senhor falou hoje em seu seminário, as luzes se acenderam. Minha mente voltou à época de nosso aconselhamento e percebi que foi exatamente isso que aconteceu conosco. Nós finalmente aprendemos a falar a linguagem do amor um do outro — Pete respondeu.

— E qual é sua linguagem do amor, Pete?

— Toque Físico — ele respondeu sem titubear.

— Sem a menor sombra de dúvida! — acrescentou Patsy.

Voltei-me então para ela:

— E qual a sua linguagem do amor, Patsy?

— Tempo de Qualidade, dr. Chapman. Era isso que eu pedia quando ele passava todo o tempo trabalhando no computador.

— Como você descobriu que Toque Físico era a linguagem do amor de Pete?

— Levou um tempo. Pouco a pouco, essa característica começou a surgir durante as sessões de aconselhamento. No começo, acho que Pete nem percebeu.

Pete então completou:

— É isso mesmo. Eu estava tão inseguro sobre minha autoestima que levou muito tempo até eu identificar e perceber que a ausência do toque de Patsy havia feito com que eu me afastasse dela. Eu nunca disse que precisava do toque dela. Em nossa época de namoro e noivado, eu sempre tomava a iniciativa de abraçar, beijar, andar de mãos dadas, e ela sempre foi receptiva. Isso fazia com que eu achasse que ela me amava. Após nosso casamento houve situações em que eu a procurei fisicamente, e ela não correspondeu. Achei que ela estivesse muito cansada por causa das responsabilidades no novo emprego. Eu não percebi, mas concluí isso pessoalmente. Eu me senti como se ela não me achasse mais atraente. Então, decidi que não tomaria mais a iniciativa para não me sentir mais rejeitado. E esperei para ver quanto tempo demoraria até que ela decidisse beijar-me, tocar-me ou demonstrar uma nova experiência sexual. Cheguei a esperar seis semanas por um toque. Aquilo foi insuportável. Eu me afastava para ficar longe da dor que apertava quando estava com ela. Eu me sentia rejeitado, dispensado e mal-amado.

Então Patsy acrescentou...

— Eu não tinha a menor idéia de que ele se sentia dessa forma. Sabia que não me procurava mais, não nos abraçávamos, nem nos beijávamos como antes, mas achei que, desde que estávamos casados, isso não era mais tão importante para ele. Compreendia também que estava sob pressão no trabalho. Não tinha, porém, a menor idéia de que ele desejava que eu tomasse a iniciativa.

Fez uma pausa e prosseguiu:

— E foi exatamente como ele disse. Eu vivi semanas sem tocá-lo. Isso nem passava por minha mente. Eu preparava as refeições, mantinha a casa limpa, colocava a roupa para lavar e tentava não o atrapalhar. Francamente, eu não sabia o que mais poderia fazer. Não entendia o afastamento nem a falta de atenção dele. Não é que eu não gostasse de tocá-lo. É que para mim isso não era tão importante. Receber sua atenção e seu tempo era o que me fazia sentir amada. Não importava se nos beijássemos ou abraçássemos, desde que ele me desse sua atenção, eu me sentia querida.

Respirou fundo e continuou:

— Levou um bocado de tempo até que localizássemos a raiz do problema e, ao descobrirmos que não supríamos a necessidade de amor um do outro, demos uma virada em nosso relacionamento. Quando comecei a tomar a iniciativa de tocá-lo, foi impressionante o que aconteceu. Sua personalidade e seu ânimo mudaram drasticamente. Eu ganhei um novo marido. Quando ele se convenceu de que realmente o amava, então começou a ficar mais sensível às minhas necessidades.

— Ele ainda tem computador em casa? — perguntei.

— Tem sim, mas raramente o usa. Mas quando usa, eu sei que ele não está "casado" com o computador, então não me importo. Fazemos tantas coisas juntos que se tornou fácil para mim dar-lhe a liberdade para usar o computador quando quiser.

Pete então disse:

— O que me deixou surpreso no seminário hoje foi a forma como sua palestra sobre as linguagens do amor me levou ao passado. O senhor disse em vinte minutos o que levamos seis meses para aprender.

— Bem, não importa a rapidez do aprendizado, mas sim o quanto desfruta dele. E, obviamente, vocês assimilaram isso muito bem.

Pete é uma pessoa cuja primeira linguagem do amor é Toque Físico. Emocionalmente, esse tipo anseia que o cônjuge o toque fisicamente. Um carinho gostoso nos cabelos ou nas costas, andar de mãos dadas, dar um abraço apertado, ter relações sexuais — tudo isso e outros "toques de amor" fazem parte das necessidades emocionais de quem tem Toque Físico como primeira linguagem do amor.

9
Como descobrir sua primeira linguagem do amor

Descobrir a primeira linguagem do amor de seu cônjuge é essencial para você manter sempre o "Tanque do Amor" cheio. Porém, vamos primeiramente nos certificar de que você sabe qual é sua própria linguagem. Após conhecerem as cinco (Palavras de Afirmação, Tempo de Qualidade, Presentes, Atos de Serviço, Toque Físico) algumas pessoas saberão de imediato a primeira linguagem tanto delas como a do cônjuge. Outras, porém, não terão tanta facilidade. Alguns são como Bob, de Parma Heights, Ohio, que após ouvir sobre as cinco linguagens do amor, disse-me:

— Não sei, não... Estou em dúvida entre duas dessas linguagens. Não sei onde me encaixar.

— Quais delas? — perguntei.

— Toque Físico e Palavras de Afirmação — ele disse.

— O que você entende por Toque Físico? — perguntei.

— Bem, principalmente, sexo — Bob respondeu.

Procurei sondá-lo um pouco mais, com mais perguntas:

— Você não gosta quando sua esposa passa a mão em seu cabelo, faz uma massagem em suas costas, beija e abraça você mesmo fora da relação sexual?

— Eu gosto disso tudo, e jamais rejeito isso, mas o mais importante para mim é a relação sexual. Só assim sinto que minha esposa realmente me ama.

Mudando do Toque Físico para Palavras de Afirmação, perguntei:

— Quando você diz que Palavras de Afirmação também são importantes, a que se refere?

— A palavras positivas. Quando ela diz que estou bem arrumado e sou um profissional competente; quando ela diz que gosta das coisas que faço em casa; quando elogia o tempo que fico com as crianças; quando diz que me ama — todas essas coisas são realmente importantes para mim.

— Você costumava ouvir esse tipo de elogio de seus pais em sua infância e juventude?

— Raramente — Bob respondeu. — Eu sempre ouvia de meus pais críticas ou cobranças. Pensando bem, acho que essa foi a primeira coisa que me atraiu em Carol. Ela sempre me dizia Palavras de Afirmação.

— Vou perguntar mais uma coisa: Se Carol supre suas necessidades, ou seja, se os dois tiverem relações sexuais de "alta qualidade" todas as vezes que você desejar, mas por outro lado ela o criticar e fizer uma série de cobranças e, algumas vezes, até o desprezar diante dos amigos, você acha que ainda se sentiria amado por ela?

— Acho que não. Eu iria me sentir traído, profundamente magoado e deprimido.

Então lhe disse:

— Bob, acho que sua primeira linguagem do amor é Palavras de Afirmação. Relações sexuais são extremamente importantes para você e seu senso de intimidade com Carol. Porém, as Palavras de Afirmação que ela lhe diz são mais necessárias para sua parte emocional. Veja bem: se ela fosse verbalmente crítica o tempo todo, chegaria uma hora em que você não teria mais desejo de ter relações com ela, porque estaria muito magoado.

Bob cometeu um erro comum: assumir que o Toque Físico é sua primeira linguagem do amor, em vista de seu intenso desejo por sexo. Para o homem, o prazer sexual tem base física. Ou seja, as relações sexuais são estimuladas pela formação das células dos espermas e do fluido nos canais seminais. Quando eles estão cheios, há um impulso para liberá-los. Portanto, o desejo sexual masculino tem raiz fisiológica.

Para a mulher, entretanto, o desejo pelo sexo baseia-se nas emoções e não na fisiologia. Não há base física que a motive e impulsione para ter relações sexuais. O prazer feminino tem sua motivação no emocional. Se ela se sentir amada, admirada e apreciada pelo marido, então terá o desejo de ter intimidade com ele. Porém, sem a proximidade emocional, ela terá pouco desejo físico.

> A maioria dos problemas sexuais no casamento tem pouco a ver com técnicas físicas, mas muito com a satisfação das necessidades emocionais.

Como o homem tem impulsos físicos a ser liberados em bases regulares, ele automaticamente assume que essa é sua primeira linguagem do amor. Mas, se ele não gosta de toques físicos fora das relações sexuais, essa é uma grande indicação de que o toque físico não seja sua primeira linguagem do amor. O desejo sexual é muito diferente de suas necessidades emocionais de ser amado. Isso não significa que a relação sexual não seja importante para ele — é extremamente necessária —, mas apenas o relacionamento sexual não atenderá a sua necessidade de ser amado. Sua esposa, da mesma forma, deverá aprender a falar sua primeira linguagem do amor.

Quando a esposa fala a primeira linguagem do amor do marido e enche assim o "Tanque do Amor" dele, e ele fala a primeira linguagem do amor dela, de forma que seu "Tanque do Amor" também esteja cheio, o fator sexual desse relacionamento ocorrerá de forma automática. A maioria dos problemas sexuais no casamento tem pouco a ver com técnicas físicas, mas com a satisfação das necessidades emocionais.

Após conversarmos mais um pouco, Bob refletiu e disse:

— É, acho que o senhor está certo. Palavras de Afirmação é definitivamente minha primeira linguagem do amor. Quando ela é ríspida e crítica comigo, minha tendência é me afastar sexualmente dela e fantasiar com outra mulher. Mas, quando ela diz que me admira e gosta de mim, meus desejos sexuais automaticamente se voltam para ela.

Bob fizera ali, em nossa breve conversa, uma descoberta muito significativa.

Qual é a sua primeira linguagem do amor? O que faz com que você se sinta mais amado pelo cônjuge? O que você mais deseja? Se a resposta a essas perguntas não surge de imediato em sua cabeça, talvez eu possa ajudá-lo a observar a utilização negativa das linguagens do amor: o que seu cônjuge faz, ou diz, ou deixa de expressar ou realizar, que mais magoa você? Se, por exemplo, o que mais aborrece você são críticas e julgamentos, então talvez sua linguagem do amor seja Palavras de Afirmação. Se sua primeira linguagem do amor for usada de forma negativa pelo cônjuge, ou seja, se ele fizer exatamente o contrário do que deveria fazer para encher seu "Tanque do Amor", então essa atitude o atingirá mais do que a outra pessoa, pois além de negligenciar o fato de falar sua primeira linguagem ele a utiliza como uma faca para feri-lo.

Lembro-me de Mary, de Kitchener, Ontário, quando me disse: "Dr. Chapman, o que mais me magoa é que Ron, meu marido, nunca levanta uma palha para me ajudar. Ele assiste à televisão enquanto faço todo o trabalho. Não entendo como pode fazer isso se diz que me ama!".

O fato de ela se magoar tanto por Ron não a ajudar nas tarefas domésticas era a chave para se reconhecer sua primeira linguagem do amor: Atos de Serviço. Se você fica muito triste porque faz muito tempo que seu cônjuge não lhe dá um presente, então, talvez, sua primeira linguagem do amor seja Presentes. Se sua maior dor vem do fato de seu cônjuge raramente lhe dedicar um momento de atenção, então Tempo de Qualidade é sua primeira linguagem do amor.

Outra forma de descobrir sua primeira linguagem do amor é olhar para o passado do seu casamento e perguntar: "O que eu mais solicitei de meu cônjuge?".

Aquilo que você mais requisitou é, possivelmente, algo que faz parte de sua linguagem do amor. Solicitações que provavelmente foram interpretadas por seu cônjuge como "superficiais" são, no entanto, tentativas de assegurar o amor dele para com você.

Elizabeth, que mora em Maryville, Indiana, utilizou-se dessa forma para descobrir sua primeira linguagem do amor. Ela partilhou comigo, ao final de um sessão do seminário:

"Ao olhar para trás, para os dez anos de meu casamento e perguntar a mim mesma o que mais solicitei de Peter, minha linguagem do amor tornou-se óbvia. Tenho, quase sempre, requisitado dele Tempo de Qualidade. Sempre sugiro um piquenique, um fim de semana na praia, menos tempo diante da televisão para conversarmos pelo menos uma hora, caminhadas juntos etc. Sinto-me negligenciada e mal-amada porque ele raramente aceita minhas propostas. Tenho recebido lindos presentes em meu aniversário e em ocasiões especiais, mas Peter não entende por que não tenho demonstrado mais entusiasmo com eles." Fez uma pequena pausa e continuou: "Durante seu seminário, surgiu uma luz no fim do túnel e nós dois percebemos isso. Durante o intervalo, meu marido pediu-me perdão por, durante todos esses anos, ter sido tão duro e resistente às minhas solicitações. Ele prometeu que as coisas serão diferentes daqui para frente, e eu acredito nele".

Outra forma de cônjuge descobrir sua primeira linguagem do amor é observando o que você faz e diz para expressar amor a ele. Há grandes chances de que você gostaria que ele fizesse exatamente o que você faz por ele. Se, porventura, você com freqüência se utiliza de Atos de Serviço para seu cônjuge, talvez (nem sempre) essa seja sua linguagem do amor. Se Palavras de Afirmação fazem com que você se sinta amado, há grandes chances de que as utilize para transmitir amor ao cônjuge. Portanto, você pode descobrir sua própria linguagem do amor ao se perguntar: "Como, de forma consciente, expresso amor a meu cônjuge?". Mas lembre-se de que essa é apenas uma possível dica para descobrir sua linguagem do amor; não é um indicador infalível. Por exemplo: o marido que aprendeu com o pai a expressar amor à esposa por meio de presentes faz isso seguindo os passos paternos. No entanto, Presentes talvez não seja sua primeira linguagem. Ele, simplesmente, segue o exemplo do pai.

São três as sugestões para descobrir a primeira linguagem do amor:

> Pare por um minuto e escreva o que, em sua opinião, é sua linguagem do amor. Depois liste as demais em ordem de importância.

1. O que seu cônjuge faz, ou deixa de realizar, que mais o magoa? O oposto disso é provavelmente sua linguagem do amor.

2. O que você mais solicita do cônjuge? Aquilo que mais requisita dele é provavelmente o que faz você se sentir mais amado.

3. Qual a forma mais freqüente de você expressar amor a seu cônjuge? Pode ser uma indicação de que por essa mesma linguagem também se sentiria amado.

Ao utilizar essas três indicações, é possível descobrir sua primeira linguagem do amor. Se ficar em dúvida entre duas e achar que qualquer uma poderia ser a sua linguagem, é possível que você seja "bilíngüe". Dessa forma, as coisas ficam mais fáceis para seu cônjuge. Agora, ele tem duas escolhas em que ambas lhe comunicarão amor de forma mais profunda.

Há dois tipos de pessoa que terão dificuldade em descobrir a primeira linguagem do amor. O primeiro é o que mantém o "Tanque do Amor" cheio durante longo tempo. O cônjuge expressa seu amor por meio de várias formas e ele não tem certeza sobre qual delas faz com que se sinta mais amado. Ele simplesmente sabe que é amado. O segundo tipo é aquele cujo "Tanque do Amor" está vazio há tanto tempo que não se lembra mais o que o faz se sentir amado.

Em ambos os casos, devem voltar à época em que se apaixonaram e perguntar a si mesmos: "O que me atraía nele (nela) naquela época? O que ele (ela) fazia, ou dizia, que me motivava a querer ficar ao seu lado?". Se conseguirem trazer essas reminiscências à tona, obterão uma idéia da primeira linguagem do amor. Outro método seria perguntar-se: Que tipo de cônjuge seria melhor para mim? Se fosse possível ter um cônjuge perfeito, como seria? A imagem que você projetar do cônjuge ideal pode lhe dar alguma dica de sua primeira linguagem do amor.

Depois disso tudo, gostaria de sugerir que passasse um pouco de tempo escrevendo sobre qual você considera ser sua primeira linguagem do amor. Depois, liste as demais em ordem de importância. Registre, também, qual em sua opinião é a primeira linguagem do amor de seu cônjuge. Se desejar, relacione também as outras quatro em ordem de importância. Converse com seu cônjuge sobre qual, em sua opinião, é a primeira linguagem do amor dele. Daí, digam um ao outro quais vocês acham ser a primeira linguagem do amor de cada um.

Uma vez que tenham compartilhado essas informações, sugiro que "brinquem" três vezes por semana um jogo chamado "Verificação de Tanque" da seguinte maneira: Ao chegarem em casa, perguntem um ao outro: "Em uma escala de zero a dez, como está seu "Tanque do Amor" hoje à noite?". Zero significa vazio; dez, completo sem mais espaço. Faça uma leitura em seu próprio "Tanque do Amor" — 10, 9, 8, 7, 6, 5, 4, 3, 2, 1 ou 0. Seu cônjuge, então, deverá perguntar: "O que posso fazer para ajudar a enchê-lo?". E aí você faz a sugestão — algo que gostaria que o cônjuge fizesse ou dissesse naquela noite. E ele deverá atender a sua solicitação da melhor forma possível. Depois invertam a situação e repitam o mesmo esquema de forma que ambos tenham oportunidade de ler as condições de cada "Tanque do Amor" e fazer sugestões de como enchê-lo. Se "jogarem" assim durante três semanas, ficarão motivados a continuar, de maneira informal, essa sincera e prática forma de expressar amor.

Um marido me disse:

— Não gostei da brincadeira do "Tanque do Amor". Eu joguei com minha esposa. Cheguei em casa e perguntei a ela em que ponto, em uma escala de zero a dez, o "tanque" dela estava naquela noite. Ela respondeu em torno de 7. Daí, perguntei-lhe de que forma eu poderia ajudar para que ele enchesse mais um pouco. Sabe o que ela me respondeu? "A melhor coisa que você poderia fazer para mim nesta noite seria lavar a roupa".

E ele mesmo concluiu:

— Amor e roupa para lavar? Não dá para entender...

Então eu lhe disse:

— O problema é exatamente esse! Você não entende a linguagem do amor de sua esposa. Qual é a sua?

Sem pestanejar ele disse:

— Toque Físico e especialmente no campo sexual do casamento.

— Então escute bem o que eu vou lhe dizer: O amor que você desfruta quando sua esposa o ama pelo toque físico é o mesmo que ela sente quando lhe pede para lavar a roupa.

— Então ela pode trazer toda a roupa que tiver que eu lavo já! Lavo roupa todas as noites, se isso fizer com que ela se sinta tão bem! — ele gritou.

Se por acaso você ainda não descobriu sua primeira linguagem do amor, faça anotações das vezes em que jogaram "Verificação do Tanque". Quando seu cônjuge lhe perguntar o que poderá fazer para encher seu Tanque do Amor, sua sugestão, provavelmente, será uma indicação de sua primeira linguagem do amor. Suas solicitações poderão ser provenientes de qualquer uma das cinco linguagens, mas a maior parte delas possivelmente virá de sua primeira linguagem do amor.

Talvez alguns leitores estejam, a essa altura, pensando o mesmo que um casal de Zion, Illinois, Raymond e Helen que me disse: "Dr. Chapman, tudo isso parece muito lindo, mas o que fazer se a primeira linguagem de meu cônjuge não for natural para mim?".

Falarei sobre isso no próximo capítulo.

10
Amar é escolha

Como falaremos a linguagem do amor um do outro, se nosso coração está cheio de mágoa, raiva e ressentimento por fracassos anteriores? A resposta a essa pergunta reside na essência de nossa humanidade. Somos criaturas que fazem escolhas. Isso significa que temos a capacidade de tomar decisões erradas, o que todos já fizeram. Já criticamos pessoas e situações e magoamos muita gente. Não nos orgulhamos dessas escolhas apesar de, no momento, termos justificativas para elas. Más atitudes do passado não implicam que tornaremos a fazê-las no futuro; em vez disso, podemos dizer: "Desculpe, eu sei que magoei você, mas quero mudar minha atitude. Desejo amar você em sua linguagem. Quero satisfazer suas necessidades". Tenho visto casamentos que estavam à beira do divórcio serem resgatados após o casal tomar a decisão de se amar na linguagem um do outro.

O amor não apaga o passado, mas altera o futuro. Quando escolhemos expressar nosso amor de forma mais ativa e utilizamos para isso a primeira linguagem de nosso cônjuge, criamos um clima emocional que pode curar as feridas dos conflitos e fracassos de nosso passado.

Brent estava em meu consultório. Parecia um ser estático e sem sentimentos. Fora até lá a meu pedido, não por iniciativa própria. Na semana anterior, sua esposa, Becky, esteve na mesma poltrona e chorou descontroladamente. Entre um soluço e outro conseguiu me contar que Brent dissera que não a amava mais e tinha decidido ir embora. Ela estava arrasada.

Quando conseguiu se controlar, ela disse: "Trabalhamos tanto nestes últimos três anos. Sei que não passamos juntos o mesmo tempo que costumávamos, mas achei que batalhávamos com o mesmo objetivo em mente. Não aceito que ele me diga estas coisas. Ele sempre foi muito bom e carinhoso. É um ótimo pai. Como é que ele pode fazer isso conosco?".

Ouvi ela descrever seus doze anos de casamento. A mesma história que já se repetiu tantas e tantas vezes. Tiveram um namoro muito bom e casaram-se muito apaixonados. Passaram por uma adaptação normal nos primeiros anos do casamento e perseguiram o "sonho americano". Após determinado período, a nuvem da paixão dissipou-se, mas eles não aprenderam o suficiente para falar a primeira linguagem do amor um do outro. Ela vivia, nos últimos anos, com o "Tanque do Amor" apenas pela metade, mas recebia expressões de amor suficientes, a fim de pensar que tudo estava bem. Porém, o "Tanque do Amor" de Brent estava vazio.

Eu disse a Becky que conversaria com Brent. Liguei para ele e falei: "Como você sabe, Becky esteve em meu consultório e contou-me o esforço que está fazendo para salvar o casamento. Gostaria de ajudá-la; mas para isso preciso saber o que você pensa sobre isso".

Brent concordou sem a menor hesitação e neste momento estava sentado diante de mim. Sua aparência externa era o oposto da de Becky. Ela havia chorado descontroladamente, mas ele estava inabalável. A impressão que tive dele é que havia chorado semanas ou meses atrás e agora existia uma dor interior. A história que Brent contou confirmou minhas suspeitas. "Eu simplesmente não a amo mais. E isso já ocorre há muito tempo. Não gostaria de magoá-la, mas não há mais proximidade entre nós. Nosso relacionamento esvaziou-se. Não tenho mais prazer na companhia dela. Não tenho mais nenhum sentimento por ela".

Brent pensava e sentia o que centenas de maridos imaginam através dos anos: a famosa frase "não a amo mais", slogan mental que tem fornecido liberdade emocional para que muitos maridos procurem um envolvimento com outras mulheres. O mesmo ocorre com esposas que se utilizam da mesma desculpa.

Entendi Brent porque eu já passara por aquela situação. Milhares de esposos e esposas também já enfrentaram isso: o vazio emocional; querem fazer a coisa certa, não desejam magoar ninguém, mas por causa de suas carências emocionais sentem-se compelidos a buscar o amor fora do casamento. Felizmente, ainda nos primeiros anos de casamento descobri a diferença entre "paixão" e "necessidade emocional" de sentir-se amado. A maior parte de nossa sociedade ainda não descobriu essa diferença. Os filmes, as novelas, as revistas e os livros românticos unificaram esses dois tipos de amor, para aumentar nossa confusão. No entanto, eles são completamente diferentes.

A experiência do apaixonar-se, estudada no Capítulo 3, está no nível dos instintos. Não é premeditada; simplesmente acontece em um contexto normal do relacionamento entre macho e fêmea. Pode ser fomentada ou abafada, mas não surge com base numa escolha consciente. É de curta duração (em geral dois anos ou menos) e parece servir à humanidade com a mesma função da chamada para o acasalamento dos gansos selvagens.

A paixão supre, temporariamente, a carência emocional do amor. Passa-nos a sensação de que alguém se preocupa conosco, admira-nos e gosta de nós. Nossas emoções enlevam-se por pensarmos que ocupamos o primeiro lugar na vida de alguém e que essa pessoa está disposta a dedicar tempo e energia exclusivamente ao nosso relacionamento. Por um curto período, ou por quanto tempo durar, nossa necessidade emocional por amor está satisfeita. Nosso "tanque" está cheio; podemos conquistar o mundo, nada é impossível. Para muitos, essa é a primeira vez em que o "tanque emocional" fica cheio, e isso leva à euforia.

> Satisfazer a necessidade de amor de minha esposa é uma escolha que faço a cada dia. Se eu sei qual é sua primeira linguagem do amor e escolho utilizá-la, suas necessidades emocionais mais profundas serão satisfeitas e ela se sentirá segura em meu amor.

Com o tempo, no entanto, descemos das alturas para o mundo real. Se o cônjuge aprendeu a falar nossa primeira linguagem do amor, a necessidade de ser amado continuará a ser satisfeita. Se, por outro lado, ele não falar nossa linguagem, nosso "tanque" aos poucos secará, e deixaremos de nos sentir amados. Satisfazer essa necessidade do cônjuge é definitivamente uma decisão. Se eu aprender a linguagem do amor emocional de minha esposa e usá-la com freqüência, ela continuará a sentir-se amada. O fim da paixão quase não será percebido por ela, pois seu "tanque emocional" será sempre preenchido. No entanto, se eu não compreender sua primeira linguagem, ou optar por não utilizá-la, quando ela colocar os pés no chão, terá os anseios naturais de quem não tem as carências emocionais satisfeitas. Em razão de viver alguns anos com o "Tanque do Amor" vazio, talvez venha a apaixonar-se novamente por outra pessoa e o ciclo outra vez se repetirá.

Satisfazer a necessidade de amor de minha esposa é uma escolha que faço a cada dia. Se sei qual é sua primeira linguagem do amor e escolho usá-la, suas necessidades emocionais mais profundas serão satisfeitas e ela se sentirá segura em meu amor.

Se ela fizer o mesmo comigo, minhas necessidades emocionais serão satisfeitas e viveremos com o "tanque" cheio. Em estado de plenitude emocional, conseguiremos canalizar nossas energias criativas para vários projetos de vida e ao mesmo tempo manteremos nosso casamento com estímulo e em crescimento.

Com essas coisas em mente, olhei para o rosto tenso de Brent e imaginei se eu conseguiria ajudá-lo. Pensei se ele já não se apaixonara por outra pessoa. Caso estivesse, no início ou no ápice da paixão. São poucos os homens que, com o "Tanque do Amor" vazio, abandonam o casamento quando têm perspectivas de ver essa necessidade satisfeita em outra fonte, sem precisar deixar a família.

Brent foi honesto e revelou-me que se apaixonara por alguém havia vários meses. Disse-me, no entanto, que aquele sentimento iria embora e tinha esperanças de resolver tudo com a esposa. Mas o relacionamento em casa piorou, e seu amor pela outra mulher só aumentava. Ele já não conseguia viver sem seu novo amor.

Interessei-me por Brent e pelo dilema que enfrentava. Ele, sinceramente, não desejava magoar a esposa e os filhos, mas achava que merecia ser feliz. Eu lhe disse as estatísticas sobre segundo casamento (60% terminam em divórcio). Ficou surpreso em sabê-lo, mas estava convencido de que isso não aconteceria com ele. Disse-lhe também sobre os efeitos do divórcio nos filhos, mas estava certo de que sempre seria um bom pai para os filhos, que logo superariam o trauma da separação. Conversei com Brent sobre os assuntos deste livro e expliquei a diferença entre a experiência da paixão e a necessidade profunda de sentir-se amado. Falei sobre as cinco linguagens do amor e desafiei-o a dar mais uma chance ao casamento. Eu sabia que meu enfoque racional e intelectual do matrimônio, comparados com os picos emocionais que Brent estava sentindo, eram como uma pistola de água perto de uma arma automática. Brent agradeceu minha preocupação e pediu que eu fizesse o possível para ajudar Becky. Naquele momento, ele afirmou que não via esperança alguma para seu casamento.

Um mês depois recebi um telefonema de Brent. Ele disse que gostaria de conversar comigo novamente. Desta vez, ao entrar em meu escritório, ele estava visivelmente perturbado. Não era mais o homem calmo e controlado que eu vira anteriormente. Sua amante começava a descer das nuvens e a observar coisas que não apreciava em Brent. Ela se esquivava do relacionamento sexual, e ele estava desesperado. Lágrimas vertiam de seus olhos. Ele me disse o quanto ela significava para ele e o quanto estava sendo insuportável passar por aquela rejeição.

Comovido, ouvi sua história durante uma hora, até que ele pediu meu conselho. Eu lhe disse que compreendia seu sofrimento. Aquela dor emocional era natural pela perda, um tipo de sofrimento que se extinguiria da noite para o dia. Expliquei-lhe, também, que aquela experiência era inevitável. Lembrei-lhe da natureza temporária da paixão, e que cedo ou tarde ela cai das alturas e aterrisa no mundo real. Alguns passam por isso até antes do casamento; outros, depois. Ele concordou que era melhor agora do que mais tarde.

Aproveitei a oportunidade para sugerir que aquela crise talvez fosse uma boa oportunidade para que ele e a esposa fizessem aconselhamento conjugal. Lembrei a ele de que o amor emocional verdadeiro e duradouro é uma escolha, e que este poderia renascer se ele e a esposa aprendessem a amar-se na linguagem certa de cada um. Ele concordou, e nove meses depois Brent e Becky deixaram meu consultório com o matrimônio renovado. Quando, há três anos, vi Brent, ele me contou que seu casamento ia muito bem e me agradeceu novamente por tê-lo ajudado naquela fase tão crucial de sua vida. Disse-me que a dor pela perda do outro amor durou ainda uns dois anos. Depois, sorriu e disse: "Meu 'tanque' nunca esteve tão cheio, e Becky é uma mulher muito feliz!".

Ainda bem que Brent foi beneficiado por aquilo que chamo de desequilíbrio da paixão. As coisas são assim mesmo... Dificilmente uma pessoa se apaixona no mesmo instante que a outra e quase nunca se desapaixonam juntas. Não é necessário ser cientista social para chegar a essa conclusão, basta ouvir as músicas românticas. Nesse caso específico, a amante de Brent se desapaixonou em tempo muito oportuno!

> Se determinada atitude não é espontânea em você, ela se torna uma expressão de amor muito maior.

Nos nove meses em que aconselhei Brent e Becky, trabalhamos com vários conflitos que eles nunca haviam tentado resolver. A chave, porém, para o renascimento daquele casamento foi a descoberta da primeira linguagem do amor um do outro e a escolha de aprender a usá-la com freqüência.

Deixe-me voltar à pergunta do Capítulo 9: "O que fazer se a primeira linguagem do cônjuge não for natural em você?". Sempre me fazem essa pergunta em meus seminários e minha resposta é: "Qual o problema nisso?".

A linguagem do amor de minha esposa é Atos de Serviço. Uma das coisas que sempre faço para ela como expressão de meu amor é passar o aspirador na casa. Vocês acham isso natural para mim? Minha mãe costumava mandar que eu limpasse nossa casa. Quando eu era garoto e até adolescente, não podia jogar bola aos sábados enquanto não terminasse de limpar a casa toda. Naquela época eu dizia para mim mesmo: "Quando eu me casar, nunca mais vou tocar em um aspirador! Vou arrumar uma esposa que faça isso!".

Hoje, no entanto, limpo nossa casa com freqüência. Existe uma única razão para isso: amor. Por nenhum dinheiro eu limparia outra casa; mas o faço por amor. Pode-se concluir que, ao fazer algo que não lhe é natural, essa expressão de amor torna-se muito maior e mais significativa. Quando limpo a casa, minha esposa sabe aquele ato é 100% do mais puro e genuíno amor e assumo o crédito disso!

Alguém pode dizer: "Mas, dr. Chapman, isso é diferente! Eu sei que a primeira linguagem de meu cônjuge é Toque Físico, mas não estou acostumado a isso. Nunca vi meus pais se abraçarem e nunca recebi um carinho deles! Não sei nem como começar. O que eu faço?". Minha resposta é a seguinte: "Você tem duas mãos? Consegue colocá-las juntas? Ótimo! Agora imagine que seu cônjuge esteja no meio do círculo formado por seus braços. Puxe-o até você. Aposto que se abraçá-lo três mil vezes, será mais confortável continuar a abraçá-lo. Mas não se trata de conforto, estamos falando de amor, de algo que se faz para outra pessoa e não para si. Todos os dias a maioria das pessoas faz muitas coisas que não lhe são naturais. Para algumas, levantar cedo já é difícil. Porém, lutamos contra nossos sentimentos e saímos da cama. Por quê? Acreditamos que naquele dia algo compensará o 'sacrifício'. Geralmente, antes que o dia termine, nos sentimos bem por termos tomado aquela decisão. Nossas ações precedem nossas emoções".

O mesmo ocorre com o amor. Descobrimos a primeira linguagem do amor do cônjuge e tomamos a decisão de aprender a falá-la, quer seja natural, quer não. Não reivindicamos sentimentos ardentes e delirantes, simplesmente escolhemos fazê-lo para o bem daquele que amamos. Desejamos satisfazer as necessidades emocionais do cônjuge e nos predispomos a falar sua linguagem do amor. Com isso, seu "Tanque do Amor" fica cheio, e há chances de que ele também fale nossa primeira linguagem. Nesse processo nossas emoções retornam e nosso "Tanque do Amor" começa a encher.

Amar é uma decisão, e cada cônjuge pode iniciar esse processo hoje mesmo.

11
O amor faz a diferença

O amor não é nossa única necessidade emocional. Os psicólogos observam que, entre nossas carências básicas, estão a segurança, a autovalorização e o significado. O amor, no entanto, relaciona-se com todas elas.

Se me sinto amado por meu cônjuge, consigo relaxar, pois confio que seu amor não me fará mal. Estou seguro em sua presença, posso enfrentar muitas incertezas em meu emprego e ter inimigos em outras áreas de minha vida, mas sinto segurança em relação ao cônjuge. Meu senso de autovalorização é alimentado pelo fato de saber que meu cônjuge me ama. O amor que ele me dedica aumenta minha auto-estima.

A necessidade de significado é a força emocional subjacente à maior parte de nossos atos. A existência humana é pautada pelo desejo de sucesso. Queremos que nossa vida valha a pena. Temos nossas próprias idéias de onde encontrar esse significado e nos esforçamos para atingir nossa meta. Ser amado por nosso cônjuge aumenta nosso senso de significado. Concluímos: "Se alguém me ama, então devo significar algo para essa pessoa".

Tenho significado porque sou a obra-prima da criação; tenho a capacidade de pensar em termos abstratos, de comunicar meus pensamentos por palavras e tomar decisões. Pela palavra escrita ou gravada, posso beneficiar-me com os pensamentos daqueles que me precederam. Sou enriquecido pelas experiências de outros, mesmo que tenham vivido em épocas e culturas diferentes. Com a morte de meus familiares e amigos, passo pela experiência de que há uma existência além do material. Concluo que, em todas as culturas, as pessoas acreditam no mundo espiritual. Meu coração afirma que isso é verdade, mesmo que minha mente, com o estudo da observação científica, questione a esse respeito.

Tenho significado, e a vida tem um sentido. Existe um propósito mais alto, e quero acreditar nisso, mas não consigo encontrar esse significado até que alguém expresse amor por mim. Quando meu cônjuge, de forma amorosa, investe tempo, energia e esforço em mim, acredito que tenho significado. Sem amor, passo a vida inteira na busca do significado, da autovalorização e da segurança. Mas, quando experimento o amor, ele tem um impacto positivo em todas essas necessidades. Passo a ser livre para desenvolver meu potencial, sinto-me mais seguro em minha auto-estima e posso canalizar meus esforços para outra direção, em vez de ficar obcecado com minhas próprias necessidades. O resultado do amor verdadeiro sempre é a libertação.

Se não nos sentimos amados no casamento, as diferenças ampliam-se. Nós nos observamos como ameaça à própria felicidade. Lutamos por autovalorização e significado, e o casamento passa a ser mais campo de batalha do que porto seguro.

O amor não oferece resposta a tudo, mas cria um clima de segurança no qual podemos buscar soluções para as questões que nos aborrecem. Na convicção do amor, os casais podem conversar sobre diferenças sem condenação, e os conflitos podem ser resolvidos. Duas pessoas diferentes podem aprender a viver juntas em harmonia e descobrem como fazer surgir o melhor de cada uma. Chamamos a isso tudo de recompensas do amor.

A decisão de amar o cônjuge tem um enorme potencial. Aprender a primeira linguagem do amor dele transforma esse potencial em realidade. O amor realmente "faz o mundo girar", pelo menos é o que podemos dizer no caso de Jean e Norman.

Eles viajaram três horas até meu consultório. Era evidente que Norman estava contrariado, pois Jean ameaçara deixá-lo caso não fosse. (Não sou a favor, nem recomendo essa atitude, mas as pessoas não têm como sabê-lo antes de encontrar comigo.) Estavam casados há trinta e cinco anos e nunca tinham feito aconselhamento conjugal. Jean iniciou a conversa.

— Dr. Chapman, gostaria que o senhor soubesse de duas coisas. Em primeiro lugar, não temos problemas financeiros. Li numa revista que o dinheiro era o maior problema no casamento, mas não é nosso caso. Nós dois trabalhamos a vida toda, a casa está paga e os carros também; realmente não temos dificuldades financeiras. Em segundo lugar, o senhor precisa saber que nós não brigamos. Ouço sempre meus amigos dizer das brigas que tiveram; mas nós nunca discutimos. Não consigo me lembrar da última vez em que tivemos uma discussão.

Nós dois concordamos que brigas não levam a nada, então não brigamos.

Como conselheiro, foi bom Jean ter lançado um pouco de luz para começarmos. Sabia que ela iria direto ao ponto. Ela demonstrou que agiria assim logo no início da conversa. Ela queria ter certeza de que não nos prenderíamos ao que não fosse necessário, pois seu objetivo era utilizar o horário da melhor forma possível.

Ela continuou:

— O problema é o seguinte: sinto que meu marido não me ama. A vida passou a ser rotina para nós. Levantamos pela manhã e vamos trabalhar. À noite, eu me dedico aos meus afazeres, e ele aos dele. Costumamos jantar juntos, mas não conversamos. Ele assiste à TV enquanto comemos. Após o jantar, refugia-se no porão e dorme diante da TV, até que o acordo e digo-lhe que é hora de ir para a cama. Essa é nossa vida cinco dias por semana. Aos sábados, ele joga golfe na parte da manhã, trabalha no jardim à tarde, e à noite saímos para jantar com um casal de amigos. Ele conversa com eles, mas quando entramos no carro para voltar para nossa casa, a conversa simplesmente termina. Quando chegamos, ele dorme diante da TV até a hora de ir para a cama. Todo domingo pela manhã vamos à igreja.

Ela enfatizou e prosseguiu:

— Depois, almoçamos fora com alguns amigos. Ao chegarmos em casa, ele dorme diante da TV a tarde toda. À noite vamos à igreja; depois voltamos para casa, comemos pipoca e vamos para a cama. Fazemos isso todas as semanas, e é só isso. Somos como dois amigos que moram na mesma casa, não há nada de especial entre nós. Não sinto que ele me ame, não há calor nem emoção; é só vazio, só morte. Não sei se consigo continuar desse jeito.

Àquela altura, Jean chorava. Dei-lhe um lenço de papel e olhei para Norman. Suas primeiras palavras foram:

— Não consigo entendê-la! Tenho feito tudo que posso para demonstrar que meu amor por ela, principalmente nos últimos dois ou três anos, quando ela começou a reclamar mais. Nada parece agradá-la. Não importa o que eu faça, ela continua a reclamar que não se sente amada. Não sei mais o que fazer!

Era nítido que Norman estava frustrado e muito irritado. Então perguntei:

— O que você tem feito para demonstrar seu amor por Jean?

— Bem, para começar, eu chego em casa antes dela e todas as noites adianto o jantar. Para falar a verdade, quatro vezes por semana, eu tenho o jantar quase pronto quando ela chega em casa. Na quinta-feira à noite saímos para jantar fora. Depois do jantar, três vezes por semana, lavo a louça. Em um dia da semana, tenho reunião à noite, mas no restante da semana sou eu que lavo a louça. Limpo a casa toda porque ela tem problema na coluna. Faço todo o trabalho de jardinagem porque ela é alérgica ao pólen das flores. Retiro a roupa da secadora e dobro-a.

Ele continuou dizendo todas as outras coisas que fazia por Jean. Quando terminou de falar, pensei: "Esse homem faz tudo em casa, o que sobra para ela fazer? Não sobrava quase nada!".

Norman continuou:

— Faço tudo isso para demonstrar meu amor por ela, e há uns dois ou três anos ela ainda me diz que não se sente amada por mim. Não sei mais o que fazer por ela!

Quando olhei novamente para Jean, ela disse:

— Ele faz todas essas coisas, mas eu quero que ele converse comigo! Nós nunca conversamos, há trinta anos que não conversamos. Ele está sempre ocupado lavando a roupa, limpando a casa, cortando a grama. Está sempre ocupado em alguma coisa. Quero que ele se sente ao meu lado e me dê um pouco de seu tempo, olhe para mim, fale comigo sobre nós e nossa vida.

Jean chorou mais uma vez. Era óbvio para mim que sua primeira linguagem do amor era Tempo de Qualidade. Ela clamava por atenção, queria ser tratada como gente não como objeto. Todo o trabalho de Norman não satisfazia sua necessidade emocional. Mais tarde, quando conversei com ele, descobri que também não se sentia amado, mas simplesmente não falava sobre isso. Disse-me:

— Se você já está casado há trinta e cinco anos, tem as contas pagas, não briga com o outro, o que mais pode esperar?

Ele estava nesse ponto, quando lhe perguntei:

— Que tipo de mulher seria ideal para você? Se fosse possível ter uma esposa perfeita, como ela deveria proceder?

Ele, pela primeira vez, olhou-me nos olhos e perguntou:

— O senhor quer mesmo saber?

Respondi que sim. Ele se sentou no sofá, cruzou os braços e disse:

— Tenho sonhado com isso. A esposa perfeita seria aquela que à noite fizesse o jantar para mim, enquanto eu trabalhasse no jardim; me chamasse e dissesse que o jantar estava na mesa. Após o jantar, ela lavaria a louça, e eu a ajudaria, mas a arrumação da cozinha seria responsabilidade dela. Ela também pregaria os botões de minhas camisas quando caíssem.

Jean não conseguiu mais se conter. Olhou para o marido e disse:

— Não acredito no que estou ouvindo. Você me disse que gostava de cozinhar!

Norman então respondeu:

— Eu não me importo em cozinhar. Ele apenas perguntou como seria para mim a esposa ideal.

Percebi, sem que fossem necessários mais dados, a primeira linguagem do amor de Norman: Atos de Serviço. Por que ele fazia todas aquelas coisas para Jean? Porque aquela era sua linguagem do amor. Em sua mente, aquela era a forma de demonstrar amor a uma pessoa, pelos vários Atos de Serviço. O problema era que Atos de Serviço não era a primeira linguagem de amor de Jean. Não tinha, para ela, o significado emocional que continha para ele, se ela usasse Atos de Serviço.

Quando a luz brilhou na mente de Norman, a primeira coisa que disse foi:

— Por que ninguém me falou sobre isso trinta anos atrás? Eu teria sentado no sofá ao lado dela durante quinze minutos, todas as noites, em vez de fazer todas aquelas coisas.

Ele se virou para Jean e disse:

— Pela primeira vez em minha vida, entendo seu sofrimento quando diz que não conversamos. Eu não conseguia entender isso. Na minha forma de enxergar as coisas, nós conversávamos. Eu sempre perguntava se você tinha dormido bem e achava que aquilo era diálogo, mas agora compreendo tudo. Você quer se sentar comigo no sofá e conversar por quinze minutos à noite. Só agora entendo o que você queria e por que é tão importante. É sua linguagem do amor emocional, e vamos começar hoje à noite mesmo. Vou ficar com você por quinze minutos naquele sofá pelo resto de minha vida. Você pode contar com isso!

Jean olhou para Norman e disse:

— Seria maravilhoso. Não me importo de fazer o jantar para você. Vai ficar pronto um pouco mais tarde, porque chego do serviço depois de você, mas não me importo de cozinhar. Vou adorar pregar os botões. Você nunca deixa que os botões fiquem soltos para eu pregá-los... Vou lavar a louça pelo resto da vida, se isso faz com que você se sinta amado.

Jean e Norman voltaram para casa e começaram a amar-se na linguagem certa um do outro. Em menos de dois meses, estavam em segunda lua-de-mel. Eles me ligaram das Bahamas para contar sobre a mudança radical do casamento deles.

É possível que o amor emocional renasça em um casamento? Pode apostar! A chave é aprender a primeira linguagem do amor de seu cônjuge e decidir usá-la.

12

Amando a quem não merece nosso amor

Era um lindo sábado de setembro. Minha esposa e eu caminhávamos pelo Jardim Reynolds, apreciando flores e plantas de diversos países do mundo. Os pomares foram originariamente cultivados por R. J. Reynolds, o magnata do tabaco, como parte de sua propriedade rural. Agora, fazem parte do câmpus da Universidade Wake Forest. Acabávamos de passar pelo jardim das rosas quando vimos Ann, uma senhora que eu começara a aconselhar havia duas semanas, caminhando em nossa direção. Ela olhava para baixo, para as pedras dispostas ao longo do chão, formando o corredor por onde andávamos. Parecia estar completamente absorta, e quando a cumprimentei teve um sobressalto. Depois olhou para cima e sorriu. Apresentei minha esposa, Karolyn, e nos cumprimentamos. De repente, ela fez uma das perguntas mais profundas que ouvi:

— Dr. Chapman, é possível amar alguém a quem odiamos?

Eu sabia que aquela pergunta tinha nascido de uma profunda ferida e merecia uma resposta bem avaliada. Eu tinha uma sessão marcada com ela na semana seguinte. Então disse:

— Ann, essa é uma pergunta que merece resposta muito bem pensada. Que tal conversarmos sobre ela na semana que vem?

Ela concordou, e Karolyn e eu continuamos o passeio. A pergunta de Ann, no entanto, não nos abandonou. Mais tarde, voltando para casa de carro, Karolyn e eu falamos sobre aquela questão. Começamos a nos lembrar dos primeiros anos de casamento e de como, por várias vezes, tivemos o sentimento de ódio. As acusações que fazíamos um ao outro geraram mágoa e, a reboque, a ira que, abrigada, transformou-se em ódio. O que foi diferente em nosso caso? Fizemos a escolha de amar e percebemos que, se continuássemos naquele caminho de cobranças e acusação, destruiríamos nosso casamento.

Felizmente, depois de pouco mais de um ano, aprendemos a conversar sobre nossas diferenças sem acusações, a tomar decisões sem destruir nossa unidade, a fazer sugestões construtivas em vez de cobranças. Por fim, aprendemos a falar a primeira linguagem do amor um do outro. Tomamos a decisão de amar em meio a sentimentos negativos mútuos. Quando começamos a falar a primeira linguagem do amor um do outro, os sentimentos negativos que se originaram na mágoa e no ódio se dissiparam.

Nossa situação, no entanto, era diferente da condição de Ann. Karolyn e eu estávamos dispostos a aprender e crescer. O marido de Ann, porém, não concordava com isso. Ela me disse ainda na semana anterior, que tinha implorado para que ele fizesse o aconselhamento, lesse um livro ou ouvisse uma fita sobre casamento. No entanto, ele recusara todas essas alternativas. Segundo ela, ele assumira a postura de "Não tenho nenhuma dificuldade; é você quem tem problema".

Na mente dele, ele estava certo e ela errada — simples assim. Os sentimentos de amor que ela tinha por ele foram morrendo com os anos de crítica e acusação constantes. Após dez anos de casamento, sua energia emocional tinha se esgotado e sua auto-estima praticamente acabado. Haveria esperança para o casamento de Ann? Ela conseguiria gostar de um marido que não merecia ser amado? Será que, algum dia, ele corresponderia ao amor dela?

Eu sabia que Ann era profundamente religiosa e freqüentava regularmente sua igreja. Deduzi, então, que a única esperança que ela possuía para o casamento residia em sua fé. No dia seguinte, com meus pensamentos nela, comecei a ler a vida de Cristo no Evangelho de Lucas. Sempre gostei da forma como este evangelista escreve sobre Jesus, pois, como médico, atentava muito para detalhes. Ainda no primeiro século fez um relato cronológico dos ensinos e do estilo da vida do Filho de Deus. Naquele que muitos consideram o melhor sermão de Jesus, li as seguintes palavras, às quais chamo de grande desafio do amor:

> Digo-vos, porém, a vós outros que me ouvis: amai os vossos inimigos, fazei o bem aos que vos odeiam; bendizei aos que vos maldizem, orai pelos que vos caluniam. (...) Como quereis que os homens vos façam, assim fazei-o vós também a eles. Se amais os que vos amam, qual é a vossa recompensa? Porque até os pecadores amam aos que os amam.[1]

[1]Lucas 6:27.31,32.

Pareceu-me que aquele profundo desafio escrito há quase dois mil anos era o caminho que Ann procurava. Mas... ela conseguiria? Será que alguém conseguiria? Seria possível amar um cônjuge que se tornou inimigo? Seria possível amar alguém que grangueja contra você, o maltrata, menospreza e odeia? E se, na melhor das hipóteses, ela conseguir, será que ele de alguma forma lhe retribuiria? Seria possível que aquele marido mudasse e começasse a expressar amor e cuidado por ela? Fiquei surpreso com as palavras seguintes de Jesus daquele antigo sermão: "Dai e dar-se-vos-á; boa medida, recalcada, sacudida, transbordante, generosamente vos darão; porque com a medida com que tiverdes medido vos medirão também".[2]

Será que aquele princípio de amar a quem não merece nosso amor funcionaria em um casamento no ponto em que estava o de Ann? Decidi fazer uma experiência. Tomei como hipótese o fato de que, se ela aprendesse a primeira linguagem do amor do marido e a utilizasse por um tempo, de forma que as necessidades emocionais dele fossem atendidas, ele acabaria se tornando recíproco e começaria a demonstrar amor por Ann. Imaginei... Será que vai funcionar? Encontrei com Ann na semana seguinte e ouvi-a falar sobre os horrores de seu casamento. Ao final de seu resumo, repetiu o que dissera no Jardim Reynolds. Desta vez, porém, ela apresentou a questão em tom de afirmação.

— Dr. Chapman, simplesmente não sei se posso voltar a amá-lo depois do que ele fez comigo.

[2]Lucas 6:38.

— Você já conversou sobre sua situação com suas amigas?

— Com umas duas amigas mais próximas. Falei sobre isso mais superficialmente com outras.

— E o que elas lhe disseram?

— Todas acham que devo me separar dele, porque ele nunca vai mudar; essa demora só prolonga a agonia. Dr. Chapman, o fato é que não consigo fazer isso! Talvez eu devesse, mas não quero acreditar que seja a coisa mais certa a fazer.

— Parece-me que você está em um dilema. De um lado sua crença religiosa e sua moral dizem que é errado desfazer um casamento; de outro, sua dor emocional afirma que o rompimento é a única forma de sobreviver.

— Exatamente, dr. Chapman. É assim que me sinto. Não sei o que fazer!

— Entendo perfeitamente sua dor. Sei que você enfrenta uma situação difícil. Gostaria de oferecer uma resposta fácil, mas, infelizmente, não tenho. Qualquer uma das alternativas que você mencionou (continuar ou desistir do casamento), naturalmente vai lhe trazer muita dor. Antes que se decida, gostaria de

> Quando o tanque emocional está vazio... não temos sentimentos de amor pelo cônjuge. Simplesmente experimentamos a dor e o vazio.

dar uma idéia. Não posso garantir que funcionará, mas desejaria que, pelo menos, fizesse uma tentativa. Pelo que me disse, percebo que sua fé é muito importante para você e que respeita muito os ensinamentos de Jesus.

Ela confirmou com um sinal de cabeça. Continuei:

— Gostaria de ler para você algumas frases do próprio Jesus, que a meu ver se referem a seu casamento. Li, então, devagar e pausadamente. "Digo-vos, porém, a vós outros que me ouvis: 'Amai os vossos inimigos, fazei o bem aos que vos odeiam; bendizei aos que vos maldizem, orai pelos que vos caluniam. (...) Como quereis que os homens vos façam, assim fazei-o vós também a eles. Se amais os que vos amam, qual é a vossa recompensa? Porque até os pecadores amam aos que os amam' ".[3]

— Essas palavras lembram seu marido? Ele tem tratado você mais como inimiga do que como amiga? — perguntei. Ela confirmou com a cabeça.

— Ele já praguejou contra você?

— Muitas vezes.

— Ele já a maltratou?

— Sempre me maltrata.

— Ele já disse que a odeia?

— Sim.

— Ann, se você concordar, gostaria de tentar um coisa. Gostaria de ver o que aconteceria se aplicássemos o princípio que vou lhe explicar em seu casamento.

Comecei a explicar a Ann o conceito do tanque emocional e o fato de que, quando ele está vazio, como o dela estava, não temos sentimentos de amor pelo nosso cônjuge e simplesmente experimentamos a dor e o vazio. Como o amor é uma profunda necessidade emocional, é provável que a falta dele seja

[3]Lucas 6:27.31,32.

nossa dor emocional mais profunda. Eu disse que, se pudéssemos aprender a falar a primeira linguagem do amor do outro,
e ele a nossa, poderíamos satisfazer a necessidade emocional e
novos sentimentos positivos seriam gerados.

— Isso faz sentido para você? — perguntei.

— Dr. Chapman, o senhor acabou de descrever minha vida.
Nunca enxerguei de forma tão clara. Eu e meu marido nos
apaixonamos antes de casar. Não muito tempo depois de nosso casamento, caímos das nuvens e nunca aprendemos a falar
a linguagem do amor um ao outro. Meu tanque está vazio há
anos, e estou certa de que o dele também. Dr. Chapman, se
eu compreendesse antes esse conceito, talvez nada disso teria
acontecido.

— Não podemos voltar no tempo, Ann. O que podemos
fazer é mudar o futuro. Gostaria de propor uma experiência
de seis meses.

— Estou disposta a tentar qualquer coisa — disse Ann.

Admirei seu espírito positivo, mas não estava bem certo se
ela tinha entendido o alto grau de dificuldade daquela experiência. Então, sugeri:

— Vamos estabelecer nossos objetivos. Se você pudesse ter
seu desejo romântico realizado em seis meses, qual seria?

Ann permaneceu em silêncio por algum tempo. Depois,
ainda pensativa, disse:

— Gostaria de ver Glenn me amando de novo e que ele
demonstrasse amor passando algum tempo comigo, gostaria
de fazer diversas atividades com ele, sair sozinha com ele, passear. Gostaria muito que ele tivesse interesse por meu mundo,

queria que ele conversasse comigo quando saíssemos para jantar fora. Gostaria que ele me ouvisse, queria sentir que ele valoriza minhas idéias. Seria tão bom se pudéssemos novamente viajar e nos divertir juntos. E, mais do que tudo, gostaria de saber que ele valoriza nosso casamento.

Ann fez uma pausa e prosseguiu:

— De minha parte, gostaria muito de voltar a ter sentimentos calorosos e positivos por ele. Desejaria sentir orgulho dele. No momento, não tenho esses desejos.

Eu escrevia enquanto Ann falava. Quando ela terminou, li alto o que ela me disse e comentei:

— Esses objetivos parecem difíceis de alcançar. É isso mesmo o que você deseja, Ann?

— Concordo que, nesse momento, pareçam praticamente impossíveis, mas é o que desejo acima de tudo.

— Então vamos estabelecer que esses serão nossos objetivos. Em seis meses, queremos ver você e Glenn com esse tipo de amor no relacionamento. Gostaria de levantar uma hipótese. O objetivo de nossa experiência será provar se ela é ou não verdadeira. Suponhamos que você consiga falar a primeira linguagem do amor de Glenn, de forma consistente durante seis meses. Digamos também que em algum ponto desse período sua necessidade emocional de amor comece a ser satisfeita, o Tanque do Amor comece a encher e ele passe a corresponder seu amor. Essa hipótese se baseia na idéia de que nossa necessidade de amor emocional é a carência mais profunda que possuímos. Se satisfeita, a tendência natural é responder positivamente à pessoa que a satisfez.

Continuei.

— Você compreendeu que essa proposta coloca toda a iniciativa em suas mãos? Glenn não faz questão de se esforçar para salvar o casamento, mas você sim. Essa hipótese implica que, se conseguir canalizar suas energias para a direção certa, haverá grandes possibilidades de que seu marido venha a corresponder.

Li a outra parte do sermão de Jesus conforme registrado em Lucas, o médico. "Dai, e dar-se-vos-á; boa medida, recalcada, sacudida, transbordante, generosamente vos darão; porque com a medida com que tiverdes medido vos medirão também".[4]

— Se entendi bem, Jesus estabelece aqui um princípio, e não uma forma de manipular pessoas. De modo geral, se formos bondosos e amorosos, os outros tenderão a ser também conosco. Isso não significa que todos tenham de ser bons conosco por sermos pessoas boas. Somos agentes independentes, portanto, não há garantias de que Glenn venha a ser recíproco a suas manifestações de amor. Só podemos dizer que existe uma boa possibilidade que isso aconteça. (Um conselheiro nunca pode predizer com absoluta certeza o comportamento humano individual. Com base em pesquisas e em estudos dos tipos de personalidade, ele pode deduzir uma reação em determinada situação.)

Após ela concordar com a hipótese, eu disse a Ann:

[4]Lucas 6:38.

— Conversemos agora sobre a primeira linguagem do amor, tanto a sua como a dele. Pelo que você me contou, Tempo de Qualidade é sua primeira linguagem do amor. O que você acha?

— Concordo, dr. Chapman. Logo no início, quando passávamos tempo juntos, e Glenn me ouvia, conversávamos por horas a fio e fazíamos muitas coisas em companhia um do outro; eu me sentia amada. Acima de qualquer outra coisa, essa é a parte de nosso casamento que eu gostaria que voltasse. Quando ficamos algum momento juntos, sinto-me como se ele realmente se importasse comigo; porém, quando se dedica somente a outras coisas, e nunca tem tempo para conversar nem para fazer alguma atividade comigo, sinto como se os negócios e outros assuntos fossem muito mais importantes do que eu.

Nesse momento, perguntei:

— E qual você acha que é a primeira linguagem do amor de Glenn?

— Acho que é Toque Físico, especialmente a parte íntima do casamento. Noto que, quando nossas relações sexuais ficam mais ativas, ele assume uma atitude mais positiva, e chego a me sentir mais amada. É, acho que Toque Físico é a primeira linguagem do amor dele, dr. Chapman.

— Ele reclama da forma como você fala com ele?

— Bem, ele diz que eu o critico o tempo todo. Também diz que eu não o apóio e estou sempre contra suas idéias.

— Creio, então, que podemos dizer que Toque Físico seja sua primeira linguagem do amor e que Palavras de Afirmação seja a segunda. Se ele reclama das palavras negativas que ouve, então, pelo que tudo indica, as palavras positivas devem ser importantes para ele.

Fiz uma pequena pausa e escrevi as seguintes sugestões:

— Vou sugerir um plano para testar nossa hipótese. Que tal você chegar em casa e dizer a Glenn: "Tenho pensado muito sobre nós e quero que você saiba que eu gostaria de ser a melhor esposa do mundo. Então, se tiver alguma sugestão de como eu posso melhorar como companheira, gostaria de ouvir sobre isso agora e estou disposta para isso. Se quiser, pode pensar um pouco e falar sobre isso depois, ou dizer agora. Mas eu gostaria que soubesse de minha decisão de ser a melhor esposa do mundo". Seja qual for a resposta, negativa ou positiva, aceite simplesmente como informação. Esta colocação mostrará a ele que algo diferente está para acontecer no relacionamento entre vocês.

— Em seguida — continuei —, com base em sua opinião de que a primeira linguagem do amor de Glenn é Toque Físico, e em minha hipótese de que a segunda seja Palavras de Afirmação, focalize sua atenção nessas duas áreas por um mês. Se Glenn lhe disser o que você deve fazer para ser uma esposa melhor, aceite a informação e coloque-a em seu plano. Procure traços positivos nele e manifeste admiração por eles. Nesse meio-tempo, pare com as críticas. Se neste mês você tiver motivos para reclamar, escreva-os em sua caderneta de anotações, em vez de dizer qualquer coisa a Glenn.

— Finalmente — concluí — tome mais a iniciativa em tocá-lo fisicamente e no relacionamento sexual. Surpreenda-o, seja mais agressiva. Não corresponda simplesmente às investidas dele. Como meta, tenha relações sexuais pelo menos uma vez nas primeiras duas semanas e duas vezes nas duas semanas seguintes.

> Se você disser que tem sentimentos que na verdade não tem, é hipocrisia.
> Mas um ato de amor em benefício, ou para o prazer de outra pessoa, é uma escolha.

Ann me contara que, nos últimos seis meses, ela e Glenn tiveram apenas uma ou duas relações sexuais. Imaginei que esse plano tiraria do marasmo a relação em menos tempo.

— Dr. Chapman, isso será muito difícil! É quase impossível me corresponder com ele sexualmente. Ele me ignora o tempo todo. Eu me sinto usada, não amada, em nossas relações sexuais. Em outras situações, ele me trata como se eu fosse insignificante. De repente, quer ir para a cama e usar meu corpo. Eu me sinto muito magoada com isso. Deve ser por isso que tivemos poucas relações sexuais nos últimos anos — Ann disse.

Realmente solidário com a situação de Ann, respondi:

— Sua reação é absolutamente natural e normal. Para a maioria das esposas, o desejo de ter relações sexuais com o marido é despertado por se sentirem amadas por ele. Se elas se sentem prestigiadas, então querem ter relações sexuais. Se não, sentem-se usadas na relação sexual. E por esse motivo que amar a quem não nos ama é extremamente difícil, vai além de nossas tendências normais. É preciso confiar profundamente em Deus para poder fazer isso. Creio que ele a ajudará, se você ler novamente o sermão de Jesus sobre o amar os inimigos, ou seja, a quem nos odeia e nos usa. Depois, peça a Deus ajuda para colocar em prática os ensinos de Cristo.

Podia-se perceber que Ann concordava com o que eu dizia. De vez em quando ela meneava a cabeça afirmativamente, mas seus olhos diziam que ela estava com muitas dúvidas:

— Mas, dr. Chapman, não é hipocrisia demonstrar amor sexual quando se tem tantos sentimentos negativos pela pessoa?

— Acho que seria bom conversarmos um pouco sobre a diferença entre amor como sentimento e amor como ação. Se você disser que tem sentimentos que na verdade não tem, é hipocrisia, e essa falsa declaração não é uma boa forma de construir um relacionamento íntimo. Mas um ato de amor em benefício, ou para o prazer de outra pessoa, é uma escolha. Você não vai atribuir ao ato um profundo envolvimento emocional. Creio que foi exatamente isso que Jesus quis dizer.

Fiz uma pequena pausa e prossegui:

— Certamente não há como ter sentimentos calorosos por quem nos odeia. Isso não seria normal, mas podemos fazer atos de amor por eles. E isso é uma decisão nossa. Esperamos que esses atos produzam efeitos positivos em suas atitudes, seu comportamento e tratamento. Pelo menos, escolhemos fazer algo positivo por eles.

Parece que minha resposta tinha satisfeito Ann, pelo menos naquele momento. Fiquei com a sensação de que precisaríamos conversar sobre isso novamente. Eu também sentia que, se aqueles planos fossem postos em prática, seriam pela profunda fé que tinha em Deus. Tornei a dizer:

— Eu gostaria que, depois de um mês, perguntasse a Glenn se você melhorou ou não. Com suas próprias palavras, pergunte a ele algo como: "Glenn, lembra-se quando semanas atrás eu disse que gostaria de ser a melhor esposa do mundo? Você pode dizer o que tem achado?".

Prossegui com outras propostas:

— Seja qual for a resposta de Glenn, aceite-a como informação. Ele pode ser sarcástico, frívolo, hostil ou positivo. Seja qual for a resposta, não argumente, aceite-a. Faça com que ele tenha certeza de você está falando sério e quer mesmo ser a melhor esposa do mundo, e que, se ele tiver sugestões, está disposta para elas.

— Além disso — prossegui —, mantenha o hábito de perguntar a ele sobre essas questões uma vez por mês, durante os seis primeiros meses. Quando Glenn der o primeiro retorno positivo e disser algo como: "É... admito que, quando você me falou que gostaria de tentar ser a melhor esposa do mundo, eu quase morri de rir. Mas tenho de admitir que as coisas mudaram por aqui!", você saberá que seus esforços estão começando a modificá-lo emocionalmente. Ele talvez dê um retorno positivo depois do primeiro mês, do segundo ou mesmo do terceiro. Uma semana depois de você receber o primeiro retorno positivo, quero que faça um pedido a Glenn — algo que você gostaria que ele fizesse e esteja relacionado com sua primeira linguagem do amor. Por exemplo, numa noite você poderia dizer: "Glenn, sabe o que eu estou com vontade de fazer? Você se lembra de como nós costumávamos jogar cartas? Eu gostaria tanto que jogássemos juntos, só nós dois, na quinta-feira à noite! As crianças vão ficar na casa da Mary. Você acha que seria possível?".

— Ann — prossegui —, faça um pedido específico, não geral. Não diga algo como: "Sabe, gostaria muito de passar mais tempo junto com você". Isso é muito vago. Como você saberá se ele fará ou não o que pediu? Mas... se fizer um pedido específico, ele saberá exatamente o que você quer e com certeza responderá. Quando ele o fizer, será por ter escolhido fazer algo que a agrade.

— E, finalmente, faça a cada mês um pedido específico. Se ele atender, ótimo; se não concordar, não se preocupe. Uma coisa é certa: quando atender a seu pedido, você saberá que ele busca satisfazer sua necessidade. Nesse processo, você vai ensiná-lo a falar sua primeira linguagem do amor, porque os pedidos com certeza são parte dela. Se ele decidir amá-la por meio de sua primeira linguagem do amor, suas emoções positivas relativas a ele vão vir à tona. Seu "tanque emocional" começará a encher e, a seu tempo, o casamento renascerá.

— Dr. Chapman, eu faria qualquer coisa se isso fosse possível — Ann disse.

— Bem. Vai precisar de um bocado de trabalho, mas acredito que compensa. Eu, pessoalmente, estou muito interessado em ver se essa experiência vai dar certo e se essa hipótese vai se comprovar. Gostaria que nos encontrássemos com freqüência durante esse processo; talvez a cada dois meses, e você fizesse anotações das palavras de afirmação que disser a Glenn a cada semana. Gostaria, também, que me trouxesse a lista das reclamações anotadas em sua

> Talvez você precise de um milagre em seu casamento. Por que não tenta colocar em prática a experiência de Ann?

caderneta; as que você não vai revelar para Glenn. Pode ser que, com essas reclamações, eu consiga ajudá-la a formular pedidos que possam ir contra essas frustrações. Finalmente, gostaria que você aprendesse como compartilhar suas frustrações e irritações de forma construtiva e que os dois conseguissem lidar com isso. Mas, durante os seis meses de experiência, quero que você as anote sem dizer nada a Glenn.

Ann levantou-se. Acredito que já tivesse a resposta à famosa pergunta que me fez: "E possível amar alguém a quem se odeia?". Nos seis meses que se seguiram, Ann testemunhou uma grande mudança na atitude de Glenn e no modo como ele a tratava. Nos primeiros trinta dias ele se manteve distante e lidou com a situação de forma superficial. Mas depois do segundo mês, ela recebeu o retorno positivo de seus esforços. Nos últimos quatro meses, ele respondeu positivamente a quase todos os pedidos dela, e os sentimentos de Glenn em relação a Ann começaram a passar por uma mudança drástica. Ele nunca foi ao aconselhamento, mas ouviu algumas de minhas fitas e discutiu-as com Ann. Chegou mesmo a encorajá-la a continuar as sessões de aconselhamento, o que durou mais três meses após o final da experiência. Hoje Glenn diz aos amigos, em tom de segredo, que sou um "milagreiro". No entanto, sei que o amor é que faz milagres.

Talvez você precise de um milagre em seu casamento. Por que não tenta colocar em prática a experiência de Ann? Diga ao cônjuge o que tem pensado sobre o casamento de vocês, e que gostaria de fazer o possível para satisfazer as necessidades de uma forma melhor. Peça sugestões de como melhorar. As propostas apresentadas serão dicas para que você descubra a primeira linguagem do amor de seu cônjuge. Se ele não fizer nenhuma sugestão, tente descobrir a primeira linguagem do amor por meio das reclamações feitas ao longo dos anos. Então, durante seis meses, focalize sua atenção nessa linguagem. Ao final de cada mês, peça um retorno de como você evolui a partir das outras sugestões.

Quando seu cônjuge demonstrar melhoras, espere uma semana e faça um pedido específico. O pedido deve ser por algo que você realmente gostaria que ele fizesse por você. Se o cônjuge decidir atender a seu pedido, você saberá que ele tomou essa atitude para satisfazer suas necessidades. Se ele não atender, continue a amá-lo. Talvez no próximo mês você receba uma resposta positiva. Se o cônjuge começar a falar sua linguagem do amor pelo atendimento a seus pedidos, as emoções positivas sobre ele voltarão e, a seu tempo, seu casamento renascerá. Não posso garantir os resultados, mas muitas pessoas a quem aconselhei experimentaram os milagres do amor.

13
Os filhos e as linguagens do amor

O conceito das linguagens do amor também pode ser aplicado aos filhos?

Essa pergunta sempre é feita pelos participantes de meus seminários sobre casamento. Minha resposta geral é sim. Quando os filhos são pequenos, não há como saber a primeira linguagem do amor deles. Portanto, use as cinco linguagens para ter mais possibilidades de descobri-la. Outra dica: ao observar o comportamento de seus filhos, será possível verificar, mais facilmente, a primeira linguagem do amor deles.

Bobby tem 6 anos de idade. Quando seu pai chega em casa à noite, após o trabalho, ele pula no colo dele e despenteia seus cabelos. O que essa criança quer dizer com isso? "Quero ser tocado."

Ele toca em seu pai porque também deseja ser acariciado. A primeira linguagem do amor de Bobby, muito possivelmente, é Toque Físico.

Patrick é vizinho de Bobby, tem cinco anos e meio, e os dois brincam juntos. O pai de Patrick, no entanto, encontra uma situação completamente diferente ao chegar em casa do trabalho. Patrick diz entusiasmado:

— Papai, quero mostrar uma coisa. Vem aqui!

E o pai responde:

— Daqui a pouco, Patrick! Estou vendo o jornal.

O menino vai até seu quarto, mas volta em quinze segundos e diz:

— Papai, vem até meu quarto. Eu quero mostrar uma coisa. Papai, quero mostrar agora!!

O pai responde:

— Só um minuto, filho. Estou terminando de ler o jornal.

A mãe de Patrick aparece nesse momento e o repreende. Ela lhe diz que o pai está cansado e que deve deixá-lo ler o jornal sossegado. Ele então diz:

— Mas, mamãe, quero mostrar aquilo que eu fiz para o papai.

— Eu sei. Depois você mostra, agora seu pai está lendo jornal — a mãe responde.

Um minuto mais tarde, Patrick vai em direção ao pai e pula em cima do jornal e ri. O pai fica bravo e pergunta:

— O que você está fazendo, Patrick?

Patrick responde:

— Vem, para meu quarto comigo, ver o que eu fiz!

O que Patrick está solicitando? Tempo de Qualidade. Ele quer a atenção total do pai e não vai parar enquanto não conseguir, mesmo que para isso tenha de fazer uma cena.

Se seu filho pegar um objeto, embrulhá-lo e lhe der o pacote com um brilho todo especial nos olhos, a primeira linguagem do amor dele, provavelmente, é Presentes. Ele lhe dá um presente porque gostaria de receber algo em troca. Se você observar seu filho sempre desejoso de ajudar os irmãozinhos, isso provavelmente significa que a linguagem dele é Atos de Serviço. Se ele tiver o hábito de elogiá-lo com freqüência, ao afirmar que você está elegante, é um bom pai ou uma boa mãe e que você faz um bom trabalho, são fortes indicadores de que a primeira linguagem do amor dele são Palavras de Afirmação.

Tudo isso se passa em nível do inconsciente da criança, ou seja, ela não pensa deliberadamente: "Se eu presentear meus pais, eles me darão outro presente; se tocá-los, também serei acariciado"; mas o comportamento dela é motivado por seus desejos emocionais. Talvez tenha aprendido, por experiência própria, que ao falar ou dizer determinadas coisas recebe um padrão de reação dos pais. Portanto, o que ela faz ou diz visa satisfazer suas necessidades emocionais. Se tudo prosseguir normalmente e suas necessidades emocionais forem satisfeitas, tudo se encaminhará para que se tornem adultos responsáveis. Mas se a carência emocional não for satisfeita, podem chegar a violar determinados padrões ou expressar a ira contra seus pais, por eles não terem satisfeito suas necessidades, o que também os levará a procurar amor em lugares inadequados.

Dr. Ross Campbell, psiquiatra que me falou pela primeira vez do "Tanque do Amor" emocional, diz que durante os muitos anos em que tratou de adolescentes envolvidos em

> Por que, quando os filhos ficam mais velhos, nossas Palavras de Afirmação passam a palavras de acusação?

comportamentos sexuais irregulares havia entre eles uma carência afetiva que deveria ter sido preenchida pelos pais.

Sua opinião era de que praticamente toda conduta sexual irregular em adolescentes tinha sua raiz em um "tanque emocional" vazio.

Você já reparou esse tipo de coisa ocorrer em sua comunidade? Um adolescente foge de casa. Os pais levantam suas mãos para o alto e perguntam: "Como ele pôde fazer isso comigo, depois de tudo o que fiz por ele?". Esse adolescente, porém, a vários quilômetros de distância, abre seu coração para algum conselheiro e diz: "Meus pais não me amam. Eles nunca gostaram de mim. Eles amam meu irmão, mas jamais gostaram de mim". Será que esses pais amam esse adolescente? Na maioria dos casos, sim. Então, onde está o problema? Quase sempre esse tipo de situação ocorre quando os pais não sabem comunicar seu amor em uma linguagem que o filho possa entender. Talvez eles comprem luvas de boxe e bicicletas para mostrar seu amor, mas talvez o filho grite: "Por favor, alguém deseja jogar bola comigo!?".

A diferença entre comprar uma bola e jogar com o filho pode ser um "Tanque do Amor" cheio ou vazio. Os pais procuram, sinceramente, amar os filhos (a maioria deles age dessa forma), mas só sinceridade não adianta. Precisamos aprender a falar a primeira linguagem do amor dos filhos se quisermos satisfazer sua necessidade emocional de amor.

Vejamos as cinco linguagens do amor para compreender nossos filhos.

PALAVRAS DE AFIRMAÇÃO

Geralmente os pais dizem Palavras de Afirmação aos filhos quando eles ainda são pequenos. Mesmo antes que entendam a linguagem verbal, já lhes dizem coisas como: "Que narizinho lindo! Que olhinhos mais brilhantes! Que cabelo mais macio" etc. Quando o bebê começa a engatinhar, elogiam cada gesto e usam muito as Palavras de Afirmação. Quando ele começa a andar e apóia-se com uma das mãozinhas no sofá, ficam alguns passos à frente e estendem as mãos na direção dele e dizem: "Vem, vem, vem. Isso mesmo... vem até aqui, vem!". O bebê dá meio passo e cai. O que os pais dizem a ele? Certamente nada como "Seu burro! Será que você não consegue nem andar?!"

Muito pelo contrário, as palavras costumam ser: "Isso mesmo, muito bem!", e dessa forma a criança se levanta e tenta novamente.

Por quê, quando os filhos ficam mais velhos, as Palavras de Afirmação passam a ser de acusação? Quando um de nossos filhos tem 7 anos, entramos no quarto dele e dizemos para que guarde os brinquedos na caixa. Digamos que haja doze objetos pelo chão. Voltamos ao quarto em cinco minutos e somente sete estão na caixa. O que então falamos a ele? "Eu lhe disse para guardar esses brinquedos! Se você não fizer isso agora, eu vou..."

E os sete brinquedos que já estavam guardados?! Por que não dizemos: "Muito bem, Johnny, você colocou sete brinquedos na caixa. Muito bem!".

Preste atenção, pois certamente os outros cinco brinquedos também pularão em um instante para a caixa! À medida que os filhos ficam mais velhos, temos a tendência de acusá-los mais por seus erros do que condecorá-los por seus sucessos.

Para a criança cuja primeira linguagem do amor são Palavras de Afirmação, nossas palavras negativas, críticas e desanimadoras aterrorizam sua psique. Centenas de adultos com cerca de 35 anos ainda ouvem retinir em seus ouvidos palavras de acusação faladas há mais de vinte anos: "Você é muito gorda! Ninguém vai querer namorar você!", "Você não estuda! Se continuar assim, vai ser expulso da escola. Não posso crer que seja tão burro!", "Você é um irresponsável e não será capaz de fazer nada direito na vida!". Muitos adultos lutam com sua auto-estima e não se sentem amados durante toda a vida quando sua primeira linguagem do amor é violada de forma tão destrutiva.

TEMPO DE QUALIDADE

Tempo de Qualidade significa dedicar aos filhos atenção total. Para uma criança pequena, a forma de falar essa linguagem é sentar-se no chão com ela e rolar uma bola para lá e para cá. Estamos falando de brincar com carrinhos ou bonecas, de entrar em sua caixa de areia e ajudá-la a construir um castelo; devemos, portanto, penetrar em seu mundo, fazer as coisas com ela. Talvez você, como adulto, viva em um mundo informatizado, mas seu filho está no mundo da fantasia. Você precisa descer até o nível da criança se quiser conduzi-la ao mundo adulto.

À medida que a criança cresce e muda seus interesses, você precisa descobrir quais são eles, se deseja suprir suas necessidades. Se seu novo prazer for basquete, então se interesse por esse tipo de esporte. Se for piano, talvez você precise assistir a algumas aulas para ter noções desse instrumento musical ou, pelo menos, ouvir atentamente enquanto ele pratica. O fato de dedicar atenção total a um filho significa que você se importa com ele, e é importante estar ao seu lado, pois gosta de estar junto dele.

São muitos os adultos que, ao olharem para trás, para sua infância, não se lembram do que seus pais lhes disseram, mas se lembram do que lhes fizeram. Certa vez, um rapaz de 21 anos me disse: "Eu me lembro que meu pai nunca perdia meus jogos na escola; eu sabia que ele se interessava pelo que eu fazia". Para esse jovem, Tempo de Qualidade era um comunicador de amor extremamente importante.

Se Tempo de Qualidade for a primeira linguagem do amor de seu filho e você usar esta linguagem para comunicar-se com ele, haverá grandes chances de que, mesmo na adolescência, permita que você passe mais tempo com ele. Se você não dedicar Tempo de Qualidade a ele na infância, provavelmente na adolescência ele procurará os amigos da turma e se afastará dos pais, que, nessa época, vão desejar desesperadamente passar mais tempo com ele.

PRESENTES

Há muitos pais e avós que falam excessivamente a linguagem Presentes. De fato, quando visitamos uma loja de brinquedos concluímos que muitos acham que dar presentes é a única linguagem do amor. Se eles têm dinheiro, a tendência é comprar brinquedos em excesso para os filhos. Há alguns que acreditam que, de fato, aquela é a melhor forma de demonstrar amor por uma criança. Alguns pais tentam fazer por seus filhos o que os pais não puderam realizar por eles. Compram para eles coisas que desejaram quando crianças mas nunca ganharam. A menos que Presentes seja realmente a primeira linguagem do amor de seu filho, os presentes terão pouco significado emocional para ele. Os pais podem até ter boas intenções, mas nem sempre é pelo presente que a necessidade emocional do filho é satisfeita.

Se os brinquedos que você dá a seu filho logo são postos de lado, se ele raras vezes lhe agradece, se ele não valoriza o que recebeu, há grandes indícios de que Presentes não seja a primeira linguagem do amor dele. No entanto, se ele lhe agradece efusivamente, se mostra o presente ganho aos outros e diz como você dá bons presentes, se ele é cuidadoso com seus brinquedos e os guarda em lugar de honra no quarto, os mantém limpos e brinca bastante tempo com eles, talvez Presentes seja a primeira linguagem do amor dele.

O que fazer se a primeira linguagem do amor de seu filho for Presentes e você não tiver dinheiro suficiente para comprar vários brinquedos para ele? Tenha em mente que não é a qualidade ou o custo do presente que conta. Muitos presentes podem ser feitos manualmente e, às vezes, as crianças gostam mais desse tipo do que dos sofisticados. Você já reparou como as crianças pequenas brincam mais com a caixa do que com o presente que dentro dela? Essa é a realidade. Outra possibilidade é trabalhar com brinquedos quebrados e reconstituí-los. Reformar um brinquedo pode ser um projeto tanto para os pais como para os filhos. Você não precisa ter muito dinheiro para dar presente a seu filho.

ATOS DE SERVIÇO

Quando os filhos são pequenos, os pais sempre se utilizam de Atos de Serviço para se relacionar com eles. Se não o fizerem, as crianças às vezes adoecem. Tomar banho, ser alimentado e vestido, tudo isso requer um bom tempo de trabalho nos primeiros anos da vida do bebê. Além disso, é necessário cozinhar, lavar e passar. Depois chega a época das lanches, do ônibus escolar e da ajuda nas lições de casa. Essas coisas não são muito valorizadas por algumas crianças, mas para outras comunicam amor.

> Observe seus filhos.
> Note como eles demonstram amor por outras pessoas.
> Isso é uma boa dica para descobrir a primeira linguagem do amor deles.

Se seu filho costuma demonstrar que gosta de pequenas coisas que se façam por ele, é uma dica de que elas são emocionalmente importantes para ele. Pela linguagem Atos de Serviço, você comunica amor de forma significativa. Quando você o ajuda com um projeto de ciências, isso significa mais do que uma boa nota. O significado é "meu pai (minha mãe) me ama". Quando você conserta uma bicicleta, o que faz é muito mais do que devolver a ele o brinquedo; esse ato permite que ele saia com o tanque cheio. Se seu filho sempre se oferece para ajudá-lo com seus projetos de consertos, é provável que, dessa forma, ele expresse amor e Atos de Serviço possivelmente seja sua primeira linguagem do amor.

TOQUE FÍSICO

Há anos tomamos conhecimento de que o Toque Físico é um excelente comunicador emocional para as crianças. As pesquisas mostram que os bebês que recebem bastante colo têm um desenvolvimento emocional melhor do aqueles que não têm esse privilégio. Geralmente, os pais e os outros adultos seguram, apertam, beijam e afagam o bebê e lhe dizem palavras carinhosas. Muito antes de entender o significado da palavra amor, ele já se sente amado. Abraçar, beijar, afagar e andar de mãos dadas são formas de comunicar amor a uma criança. Abraçar e beijar um adolescente já é diferente de abraçar e beijar uma criança. Ele não gostará disso se você tomar a iniciativa na frente de seus amigos, mas não significa que não queira receber afagos, especialmente se Toque Físico for sua primeira linguagem do amor.

Se seu filho adolescente costuma abraçá-lo pelas costas, empurrá-lo, agarrar seu tornozelo e brincar com você, esses atos são indicações de que Toque Físico é importante para ele.

Observe seus filhos, note como eles demonstram amor para os outros. Essa é uma boa pista para descobrir a linguagem do amor deles. Anote os pedidos que lhe fizerem. Muitas vezes estarão relacionados com a primeira linguagem do amor deles. Note as coisas que mais gostam, pois também são indicadores da primeira linguagem do amor.

A linguagem do amor de nossa filha é Tempo de Qualidade, portanto, enquanto ela crescia, sempre fazíamos longas caminhadas juntos. Durante o período em que ela estudava na Academia Salém, uma das mais antigas escolas para moças de nosso país, passeávamos pelo pitoresco bairro da Salém antiga. Os moravianos restauraram a cidade de mais de duzentos anos. Caminhar pelas ruas de pedra transportava-nos para os tempos passados de nossa história. Andar pelo antigo cemitério nos comunicava a realidade entre vida e morte. Naqueles anos percorríamos aqueles locais três tardes por semana e conversávamos muito entre as austeras construções. Ela se formou em medicina. Sempre que vem à nossa casa faz o famoso convite: "Papai, que tal sairmos para dar uma volta?". Nunca recusei seus convites.

Meu filho, porém, jamais caminhou comigo. Ele diz: "Caminhar é muito chato! Você não vai a lugar nenhum. Se quiser ir a algum local específico, vá de carro". A primeira linguagem do amor dele não tem nada a ver com o Tempo de Qualidade de minha filha. Como pais, sempre tentamos colocar nossos filhos na mesma forma. Vamos a conferências sobre as crianças, lemos livros sobre como ser melhores pais, aprendemos algumas boas idéias e queremos chegar logo em casa para colocá-las em prática com cada um deles. O problema é que cada filho é diferente, e o que comunica amor para um necessariamente não transmite ao outro. Forçar uma criança a caminhar a seu lado para que você possa ter Tempo de Qualidade com ela não comunicará amor. Precisamos aprender a linguagem do amor de nossos filhos se quisermos que se sintam amados.

Acredito que a maioria dos pais realmente ama seus filhos. Também admito que milhares de pais não conseguiram comunicar amor na linguagem certa e milhares de crianças em nosso país vivem com o "tanque emocional" vazio. Acho que grande parte das crianças com comportamento inadequado tem um tanque vazio.

Nunca é tarde demais para demonstrar amor. Se seus filhos são mais velhos e você percebe que durante anos falou com eles na linguagem errada, por que não comunicar isso a eles? Que tal falar: "Li um livro sobre como demonstrar amor e percebi que, durante anos, nunca expressei carinho por você da forma mais adequada. Tenho tentado demonstrar meu amor com _____, mas agora percebo que provavelmente essa forma não comunicou meu carinho a você, pois sua linguagem do amor é outra. Chego à conclusão de que sua linguagem do amor talvez seja _____. Como você sabe muito bem, sempre amei você e espero que no futuro consiga expressar isso da melhor maneira possível".

Talvez você queira até explicar as cinco linguagens do amor para eles e conversar sobre a sua e a deles. Talvez você não se sinta amado por seus filhos mais velhos. Se forem maduros o suficiente para entender o conceito das linguagens do amor, sua conversa poderá ser reveladora. É bem provável que se surpreenda com a boa vontade deles em tentar falar sua linguagem do amor e, quando o fizerem, você se surpreenderá como seus sentimentos e atitudes em relação a eles começarão a mudar. Quando os membros de uma família começam a falar a primeira linguagem do amor um ao outro, o clima emocional aumenta grandemente.

14
Uma palavra pessoal

N o Capítulo 2, antecipei ao leitor que entender as cinco linguagens do amor emocional e aprender a falar a primeira linguagem do amor do cônjuge poderia afetar radicalmente o comportamento dele. Agora, eu pergunto: O que você acha disso? Li vários livros sobre o assunto, acompanhei a vida de vários casais, visitei pequenas e grandes cidades, recebi em meu consultório de aconselhamento diversas pessoas e conversei com várias delas em restaurantes e lugares públicos. Esses conceitos também poderiam alterar radicalmente o clima emocional de seu casamento! O que aconteceria se você descobrisse a primeira linguagem de seu cônjuge e resolvesse usá-la com freqüência?

Nem você nem eu podemos responder a essa pergunta sem primeiramente testá-la. Posso dizer que vários dos casais que ouviram esses conceitos em meus seminários disseram que o fato de escolherem amar e expressar carinho na linguagem do amor do cônjuge gerou uma enorme diferença no casamento. Quando a necessidade emocional de ser amado é satisfeita, cria-se um clima em que o casal consegue lidar com as outras áreas da vida de forma muito mais produtiva.

Cada um de nós chega ao casamento com diferentes histórias e personalidades. Levamos nossa bagagem emocional para nossos relacionamentos conjugais. Cada um chega com expectativas diferentes, com diversos enfoques das situações e muitas opiniões sobre o que realmente importa na vida. Em um casamento saudável, essa variedade de perspectivas deve ser harmonizada. Não precisamos concordar em tudo, mas devemos achar uma forma de lidar com cada uma de nossas diferenças de forma que elas não se tornem fatores de separação. Com "tanques" do amor vazios, os casais tornam-se ausentes e até agressivos, seja verbalmente, seja fisicamente, ao exporem seus argumentos. No entanto, quando o "Tanque do Amor" está cheio, cria-se um clima de amizade, compreensão e boa vontade diante de diferenças, um clima favorável a negociações dos problemas que surgem no dia-a-dia do casal. Estou convencido de que nenhuma outra área do casamento afeta tanto o relacionamento a dois quanto satisfazer a necessidade do amor emocional.

A habilidade de amar, especialmente quando o cônjuge não corresponde, parece ser impossível para alguns. Esse tipo de amor pode exigir que utilizemos nossos recursos espirituais. Muitos anos atrás, quando deparei com meus próprios problemas conjugais, tornei a descobrir que precisava de Deus. Como antropólogo, aprendi a examinar dados. Decidi, pessoalmente, fazer escavações nas raízes da fé cristã. Examinei os registros históricos do nascimento, vida, morte e ressurreição de Cristo; passei a ver sua morte como expressão de amor e sua ressurreição como uma profunda evidência de seu poder.

Tornei-me um cristão sincero. Entreguei-lhe minha vida e descobri que ele nos provê a energia espiritual interior para amar, mesmo quando o amor não é correspondido. Gostaria de encorajá-lo a fazer sua própria investigação sobre aquele que, ao morrer, orou pelos que o mataram: "Pai, perdoa-os porque não sabem o que fazem". Essa é a principal expressão do amor.

O alto índice de divórcio em todo o mundo evidencia o fato de que milhares de casais vivem com o "tanque emocional" vazio. O número crescente de adolescentes que fogem de casa e infringem lei após lei indica que muitos pais, apesar de bem intencionados e tentarem sinceramente expressar amor por seus filhos, ainda falam com eles a linguagem do amor errada. Acredito que os conceitos expostos neste livro podem causar impacto sobre casamentos e famílias.

Não escrevi este livro como tratado acadêmico a ser guardado em bibliotecas de colégios e faculdades, apesar de esperar que professores de sociologia e psicologia o vejam como ajuda na área do casamento e da vida familiar. Eu o fiz não para aqueles que estudam o casamento, mas para os casais que passaram pela experiência eufórica da paixão, entraram no matrimônio com sublimes sonhos de fazer o cônjuge extremamente feliz e na realidade do dia-a-dia correm o risco de rompimento total. Espero que milhares desses casais não somente reencontrem seus sonhos mas descubram o caminho para que seus ideais se tornem realidade.

Sonho com o dia em que o potencial dos casamentos seja aproveitado para o bem do próprio homem, quando maridos e mulheres puderem viver a vida com "tanques" do amor emocional cheios, de forma a apoiar-se para alcançar não somente o potencial pessoal de cada um mas o potencial conjugal. Sonho com o dia em que as crianças cresçam em lares cheios de amor e segurança, onde a energia progressiva seja canalizada em aprendizado e serviço, em vez de procurarem fora o amor que não receberam em casa. Meu desejo é que este livro reavive as chamas do amor em seu casamento e em outros milhares de matrimônios.

Se fosse possível, eu mesmo daria um exemplar deste livro a todos os casais do mundo e diria: Escrevi este livro para vocês. Espero que ele cause mudanças em sua vida. Se isso realmente ocorrer, por favor, dê um exemplar a outra pessoa.

Contudo, como não posso fazer isso, ficaria muito grato se você que o leu presenteasse, com uma exemplar, seus familiares, irmãos e irmãs, filhos casados, funcionários, colegas de clube, igreja ou sinagoga. Quem sabe, juntos, veremos nosso sonho tornar-se realidade.

Guia de estudo para cônjuges e discussão em grupo

Por
James S. Bell, Jr.

Introdução ao guia de estudo

Após ler e refletir sobre os primeiros capítulos deste livro, encoraje seu cônjuge a fazer o mesmo. Depois, os dois estarão aptos a realizar juntos os exercícios a seguir. Todos os "pensamentos importantes" e perguntas são feitos diretamente para o marido e a esposa. Espera-se que, após ler esta obra, ou no processo da prática dos exercícios, o leitor descubra sua própria primeira linguagem do amor, seus dialetos e sua segunda linguagem mais forte. Portanto, as linguagens e os capítulos não serão aplicados da mesma forma aos dois cônjuges. Todas as perguntas relacionam-se diretamente com o material de cada capítulo.

Por vários motivos, especialmente se você estiver passando por algum período difícil na vida conjugal, talvez seu cônjuge não queira participar - seja da leitura dos capítulos iniciais, seja deste guia de estudo. Se for este seu caso, você, que tem o livro em mãos, fará os exercícios para que os benefícios deste livro tornem-se realidade. Da mesma forma, se seguir as diretrizes das questões apresentadas, seu cônjuge reagirá de forma positiva, mesmo sem ler os primeiros capítulos ou discutir o guia de estudo.

As perguntas mais abrangentes que visam debates em grupos foram acrescentadas a cada capítulo. Isso inclui um aspecto mais amplo que vai além das preocupações do casal. Todas as propostas podem ser usadas em grupos de estudo de casais. Seria aconselhável que cada líder dessas equipes já tivesse experiência nessa área. O material de apoio pode ser utilizado para oferecer mais subsídios à discussão. Note que as perguntas dos capítulos 10 e 11 foram reunidas em uma mesma seção.

Por fim, não se condenem se vocês não conseguirem responder às perguntas ou não fizerem as tarefas sugeridas. São sugestões que ajudam a colocar em prática o que foi visto no livro e aplicam-se, diferentemente, aos vários casais que o lerem. A tentativa de expressar amor de forma mais eficiente baseia-se na individualidade de cada cônjuge. Aprender e falar a linguagem do amor do cônjuge compensa o maior dos esforços.

O que acontece com o amor após o casamento?

CONCEITO IMPORTANTE

Como cada um recebe amor de formas diferentes, manter o amor aceso no casamento é uma tarefa difícil. Se não entendermos como o cônjuge recebe o amor, o casamento poderá desmanchar sem que entendamos por quê. Precisamos descobrir a forma como cada um recebe amor. Em uma folha de papel à parte, responda às seguintes questões:

1. Veja sua infância. Você se sentiu amado por seus pais? Como eles expressavam amor por você? De acordo com os resultados em sua vida, que impacto tiveram na forma de você comunicar amor a seu cônjuge?

2. Faça uma lista das falhas e dos sucessos de seus pais na comunicação de afeição e afirmação. Que semelhanças você vê na forma em que expressa amor a seu cônjuge?

3. Você não diminuiu a demonstração de amor a seu cônjuge, mas mesmo assim ele reage cada vez mais negativamente. Identifique, a seguir, duas áreas problemáticas nos últimos dois anos: 1. Atos de amor a que seu cônjuge não correspondeu;

2. Manifestação de frustração por uma falta de cuidado sua, que você desconhece ou com a qual discorda. Qual é a verdadeira natureza do problema?

4. Faça uma retrospectiva e diga que livros, fitas, artigos etc. influenciaram-no a respeito da melhoria de sua vida amorosa com seu cônjuge. Tente lembrar quando e como você tentou colocar em prática o que aprendeu. Foi bem-sucedido ou falhou? Por quê? Eles tinham alguma implicação com as linguagens do amor?

5. Procure lembrar-se de alguma época em que você tentou comunicar amor por alguma forma específica e não foi compreendido; talvez não tenha sido rejeição, mas uma não identificação. Por que boas intenções, sinceridade e promessas cumpridas não são suficientes?

PARA DISCUSSÃO EM GRUPO

Inicie um debate sobre a natureza da comunicação em geral e como os mal-entendidos podem ocorrer pela complexidade das várias formas de linguagem. Como as circunstâncias familiares (gênero, valores etc.) podem complicar mais o processo?

Cultivando
o amor que
agradece

CONCEITO IMPORTANTE

O amor ocupa um lugar de destaque no comportamento humano, apesar de suas muitas dimensões e interpretações. O próprio relacionamento conjugal existe para cultivar o amor e a intimidade. O casamento também é o principal lugar em que um "Tanque do Amor" pode ser preenchido.

1. Lembre-se de mais três frases do tipo: "O amor faz o mundo girar", que revelam a importância que se dá ao amor. Explique o significado de cada uma delas e as implicações em seu casamento.

2. Costumamos desculpar comportamentos prejudiciais de vários tipos ao atribuí-los ao amor. Observe um exemplo dessa natureza em algum relacionamento próximo a você e verifique como um conceito de amor distorcido contribui para o problema real.

3. Focalize-se em seus próprios filhos ou em outras crianças da família. Procure lembrar-se de um incidente ou comportamento inaceitável que possam ser atribuídos a algum período

em que tenha ocorrido uma recepção inadequada de amor. Como a situação poderia ter sido melhor se elas estivessem com o "Tanque do Amor" cheio?

4. O isolamento impede o crescimento do amor. Procure lembrar-se de um período no casamento em que a separação física de seu cônjuge tenha contribuído para que surgisse um clima de distanciamento. Em seguida, reflita sobre o distanciamento emocional ocasionado por um desacordo. Qual foi o resultado interno, em ambos os casos, e como isso foi corrigido?

5. Um Tanque do Amor vazio pode ser comparado ao motor de um carro sem óleo. Seja criativo e faça mais duas analogias que possam descrever de forma inteligente ficar "sem combustível" na vida conjugal. Como essas comparações apontam a importância de dar e receber amor regularmente?

PARA DISCUSSÃO EM GRUPO

Inicie um debate sobre o lugar ocupado pelo amor nos vários sistemas filosóficos e teológicos, que contribuíram e contribuem para o passado e o presente de uma civilização saudável. Como é definido e como atua?

Apaixonando-se

CONCEITO IMPORTANTE

Apesar da experiência de apaixonar-se ser entusiástica, ela é curta e muito egocêntrica. O amor que realmente contribui para o bem-estar emocional de seu cônjuge baseia-se na razão, vontade e disciplina, esta última seria suficiente para oferecer a possibilidade de transformação e plenitude.

1. Faça uma lista com duas categorias da época em que você se apaixonou por seu cônjuge. Na primeira coluna, coloque os sentimentos, as convicções, expectativas etc. que mais tarde se transformaram em frutos que contribuíram para o amor volitivo. Na segunda lista, escreva os sentimentos volúveis, irreais ou mesmo prejudiciais que não contribuem para um relacionamento saudável.

2. Procure estabelecer um ponto aproximado na linha de seu casamento em que os sentimentos eufóricos diminuíram e você começou a ver defeitos no cônjuge. Tente recordar algumas das dificuldades encontradas e o resultante crescimento.

3. Identifique sentimentos românticos recentes em seu casamento que tenham propiciado o retorno de outros sentimentos anteriores. Como foram integrados até que se tornaram uma forma mais saudável e benéfica em um relacionamento mais profundo?

4. Da mesma forma que você desejou permanecer no pico do primeiro período do namoro, talvez esteja satisfeito com o platô de seu atual relacionamento amoroso. Antes de acomodar-se, seja sincero a respeito da "qualidade total" do amor que você oferece hoje. De que forma se assemelham aos três aspectos que o dr. Peck identifica como a ilusão da paixão: 1. Não vem de um ato da vontade; 2. Tem pouca disciplina e esforço consciente; e 3. Não se interessa genuinamente pelo crescimento do cônjuge?

5. Cite três atos dirigidos ao cônjuge, no último mês, que demonstram qualidades do amor verdadeiro: 1. Foi emocional, mas não obsessivo; 2. Exigiu esforço e disciplina; 3. Baseou-se na razão e não no mero instinto; 4. Foi em busca do crescimento pessoal do cônjuge.

DISCUSSÃO EM GRUPO

Promova uma busca aos componentes emocionais, psicológicos, fisiológicos e espirituais tanto da experiência da paixão como do amor verdadeiro e altruísta.

Primeira linguagem do amor: Palavras de afirmação

CONCEITO IMPORTANTE

Elogios, palavras de encorajamento e pedidos, em vez de ordens, afirmam a auto-estima do cônjuge, além de criar intimidade, curar mágoas e permitir livre expansão de seu potencial.

1. Dedique uma semana para que seu cônjuge compartilhe seus sonhos, interesses e talentos. Ouça-o com empatia e tome conhecimento dos detalhes. Após se colocar no lugar dele, encoraje-o amorosa e sinceramente e ofereça-se para ajudá-lo a atingir suas metas, de todas as formas possíveis.

2. A convivência poderá gerar satisfação ou grosseria nas mais variadas formas. Avalie algumas características de seu relacionamento na última semana. Sua voz foi rude, sua atitude foi sarcástica ou seu ponto de vista muito crítico? Sua observação tem se concentrado nas falhas de seu cônjuge? Resolva essas questões e peça perdão.

3. Avalie seu estilo de relacionamento em termos de padrões de comunicação. Suas palavras refletem pedidos, sugestões e solicitação de orientação? Ou elas soam como exigências,

ultimatos ou mesmo ameaças? Lembre-se de que escolha, liberdade de opinião e serviço voluntário são aspectos-chave do amor. Como você pode melhorar sua comunicação verbal com seu cônjuge?

4. Existe uma variedade infinita de formas de gentileza, intimidade e apoio que podem ser utilizadas na comunicação verbal com seu cônjuge. Como o texto sugere, comece a fazer uma caderneta de apontamentos chamada Palavras de Afirmação, em que você deverá registrar formas positivas e criativas de elevar seu cônjuge, mesmo que seja nas menores coisas. Auto-ajuda e literatura inspiradora são muito importantes.

5. O casamento de Bill e Betty Jo melhorou muito com uma simples estratégia. Cada um deles fez uma lista de coisas que apreciava no outro. Depois, duas vezes por semana elogiavam-se com base nas listas. Faça o mesmo com seu cônjuge. Antes de começar, talvez seja conveniente ver as listas de Bill e Betty. Após o início dessa prática, a decisão a ser tomada é quanto à sua continuidade por dois meses, conforme surgirem as oportunidades.

PARA DISCUSSÃO EM GRUPO

O tópico para discussão é o poder da palavra e sua capacidade de determinar destinos de pessoas ou mesmo de nações. Como as expressões verbais podem nos cegar, nos libertar e ditar a imagem que fazemos de nós mesmos e do mundo que nos rodeia?

Segunda linguagem do amor: Tempo de qualidade

CONCEITO IMPORTANTE

Passar tempo compartilhando, ouvindo e participando juntos em atividades significativas comunica que de fato nos preocupamos e admiramos um ao outro.

1. "Minha profissão exige muito" é uma justificativa característica para não passar Tempo de Qualidade com o cônjuge. Sucesso e coisas materiais não substituem a intimidade. Estabeleça um plano juntamente com cônjuge e vise equilibrar suas responsabilidades de forma a oferecer um Tempo de Qualidade adequado. Serão necessários sacrifícios para as negociações a serem feitas.

2. Bill percebeu que a primeira linguagem de Betty Jo era Tempo de Qualidade. Então fez uma lista das coisas que ele sabia que ela apreciaria fazer junto com ele. Caminhadas, férias ou simplesmente mais conversas com as crianças implicavam compartilhar mais em atividades significativas. Crie sua própria lista e estabeleça uma meta de dois itens durante os próximos dois meses.

3. Lembre-se do maior problema ou desafio enfrentado por seu cônjuge. Escreva formas de como você poderia atender melhor os seguintes itens: a. Menos conselho e mais empatia; b. Mais compreensão e menos solução; c. Mais perguntas e menos conclusões; d. Mais atenção à pessoa e menos ao problema.

4. Descubra a importância de "atividades compartilhadas" em seu casamento. Lembre-se de três experiências que tenham unido você e ainda seja fonte de afetuosas recordações. Essas experiências envolveram Tempo de Qualidade em atividades compartilhadas? Planeje um evento que tenha o potencial de tornar-se outra fonte agradável de recordação.

5. Seja honesto quanto ao papel dos sentimentos em sua vida. Quando a expressão dos sentimentos contribuiu para uma solução saudável de um problema ou para a conclusão positiva de uma situação? Você reprime ou teme suas emoções? Você explode ou mascara essas emoções? Como elas afetam seu cônjuge? Como o aspecto emocional de seu casamento pode ser melhorado?

PARA DISCUSSÃO EM GRUPO

A discussão deve concentrar-se na idéia de que as atividades a ser compartilhadas pelo casal devem ser criadas segundo os interesses dos dois, de forma que os cônjuges venham a gostar dela. Um segundo tópico é dedicar tempo, pensamento e emoção , aos interesses do cônjuge, o que inicialmente não se fazia.

Terceira linguagem do amor: Presentes

CONCEITO IMPORTANTE

Presentes são símbolos visuais do amor, sejam comprados, sejam feitos por você, sejam simplesmente sua presença disponível para seu cônjuge. Presentes demostram que você se importa e representam o valor de um relacionamento.

1. O valor de um presente pode ser visto nos olhos de quem o recebe. Talvez você não aprecie um presente recebido. Considere a intenção de quem o deu e reoriente seu próprio pensamento para valorizar o amor demonstrado por quem o presenteou.

2. Coloque em prática o conselho do autor deste livro e faça uma lista dos presentes que você deu ao cônjuge no passado. Peça também a opinião de outras pessoas que conheçam o gosto dele. Opte por lembrancinhas de amor, por mais simples que sejam, que estejam de acordo com as sugestões recolhidas. Presenteie seu cônjuge de preferência uma vez por semana no próximo mês.

3. Talvez para você presentes e finanças não combinem muito bem em sua situação atual. No entanto, o ato de dar presentes pode ser encarado como investimento em seu mais importante "tesouro". Procure vê-lo como forma de poupança ou mesmo de segurança. Reveja seu orçamento e faça um sacrifício para investir mais em seu cônjuge.

4. Se a primeira linguagem do amor de seu cônjuge for Presentes, talvez seja necessário que você, por algum tempo, abra mão de suas prioridades. Procure recordar-se de situações, nos últimos anos, em que sua presença foi muito aguardada (como um presente) por seu cônjuge e você não pôde estar lá. Mas... você deveria ter estado. Em plena consciência, planeje estar na próxima vez.

5. Lembre-se de que o presente de sua presença vai além de seu comparecimento físico. Procure, durante uma semana, compartilhar pelo menos um acontecimento importante ou sentimento que tenha ocorrido em seu dia. Solicite o mesmo de seu cônjuge.

PARA DISCUSSÃO EM GRUPO

Compartilhe exemplos de diferentes presentes nas mais variadas culturas, tradições de família e tipos de personalidade. Como eles demonstram amor e por que são considerados valiosos?

Quarta
linguagem do amor:
Atos de serviço

CONCEITO IMPORTANTE

Se alguém critica o cônjuge porque ele deixou de lhe fazer algo pode ser uma indicação de que Atos de Serviço seja sua primeira linguagem do amor. Atos de Serviço nunca deveriam ser realizados por coação, mas devem ser feitos e recebidos livremente. Sua realização deve ser solicitada.

1. Mesmo que desejemos atender às solicitações de nosso cônjuge, sempre fazemos do nosso jeito e em nossos termos. O serviço feito com amor significa atender às expectativas do cônjuge. Peça detalhes sobre as tarefas solicitadas e execute-as como recomendadas.

2. Escolha três tarefas que não sejam complicadas, mas "humilhantes". Você não precisa gostar delas para executá-las, mas seu cônjuge ficará muito feliz se você as fizer por ele. Surpreenda seu cônjuge com um ato de serviço sem que este seja solicitado.

3. Muitos casais pensam que, no relacionamento, já superaram o papel estereotipado relativo aos sexos, mas ainda

permanecem influências inconscientes. Discutam os verdadeiros sentimentos sobre compartilhar todas as atividades e o histórico de sua família nesse tópico.

4. Veja novamente a lista de solicitações de Atos de Serviço feita por Mark e Mary. Escolha quatro tarefas que você apreciaria que seu cônjuge fizesse para você. Certifique-se de que realmente as recebe e trabalhe nos ajustes, que devem se basear no amor mútuo e não em coação ou troca.

5. Muitos problemas surgem do mito de que depois do casamento deve-se abandonar a corte do período de namoro. Tente lembrar-se da profundidade do amor e da intimidade resultantes dos mais variados Atos de Serviço utilizados nesse período. Para resgatar a proximidade, tente fazer alguns dos antigos Atos de Serviço e perceber se ainda são pertinentes à situação.

PARA DISCUSSÃO EM GRUPO

Utilize dois diferentes pontos de vista que os indivíduos e as sociedades têm mantido durante séculos: 1. Realização e felicidade residem no fato de estar no auge e ter outras pessoas a seu serviço; ou 2. Realização e felicidade estão em servir aos outros, de forma que se descubra o significado do amor pela dedicação voluntária.

Quinta linguagem do amor: Toque físico

CONCEITO IMPORTANTE

O Toque Físico, como gesto de amor, alcança o mais profundo de nosso ser. Como linguagem do amor, é uma forma poderosa de comunicação, seja um simples toque no ombro, seja o mais apaixonado dos beijos.

1. Elimine todas as formas negativas de toque físico. Se você chegou alguma vez a machucar o cônjuge, mesmo de leve, peça perdão e exerça seu autocontrole. Se houver certos tipos de toque que o aborreçam, pare com eles e os substitua por outros que sejam agradáveis.

2. Talvez você e seu cônjuge nunca tenham compartilhado um com o outro sobre os tipos de toque que apreciam. Conversem sobre as dimensões emocionais, sexuais e psicológicas relacionadas com todas as áreas do corpo.

3. Faça uma lista de todas as circunstâncias, localizações e todos os tipos de toques apropriados que enriqueçam seu relacionamento físico. Por exemplo, qual é o ponto e a natureza do toque físico que você deseja ao entrar ou sair do carro? Se você

pensarem de modo diferente a esse respeito, cheguem a um acordo. Cada um deve pensar primeiramente em agradar o outro.

4. Volte às páginas sobre Patsy e Pete. Para ele, era relativamente fácil expressar seu desejo por Tempo de Qualidade. Ela, porém, achava muito difícil solicitar toques físicos, sobretudo na área sexual. Por que você acha que as coisas eram assim? Seu cônjuge não pode ler sua mente. Difícil, ou não, precisamos compartilhar nossa necessidade de amor e a linguagem pela qual nos sentimos mais amados. Por que não dedicar um tempo para conversar com seu cônjuge sobre isso? A necessidade de toque físico é a mais difícil de admitir, mesmo que seja para nós mesmos. Na área sexual, principalmente, seja honesto com seu cônjuge e com você sobre em que partes não se sente amado ou se sente inseguro, isso porque a maioria de nós percebe que o corpo é imperfeito.

5. As crises em nossa vida surgem de morte, doenças sérias ou algo semelhante. No entanto, também podem surgir de pequenos traumas cotidianos que causam grande impacto emocional. Esteja presente com palavras de cuidado, carinho e com toque gentil, em vez de se manter em silêncio ou usar palavras vazias.

PARA DISCUSSÃO EM GRUPO

Fale sobre os mistérios da emoção relacionados ao Toque Físico. Por exemplo: algumas vezes nosso "tanque emocional" implora um abraço, quando nos sentimos magoados. Outras vezes, porém, não queremos que ninguém nos toque. Estados de humor, atitudes e percepções afetam nossa decisão de querer ou não ser tocados, abraçados ou manter relações sexuais.

Como descobrir sua primeira linguagem do amor

CONCEITO IMPORTANTE

Há algumas perguntas básicas e essenciais que devem ser respondidas para que se descubra a primeira linguagem do amor. Do que você mais gosta? O que o faz se sentir mais amado? O que mais o magoa profundamente? O que você deseja acima de tudo? Essas respostas fornecem dicas muito importantes.

1. Muitas pessoas se esforçam para que o sexo seja bom para os dois. Focalizam na técnica, freqüência e variedade. No entanto, grande parte desse esforço tem a ver com o estado emocional de nosso "Tanque do Amor". Pense sobre seu relacionamento e em como destacar mais o lado emocional, o que também melhorará o relacionamento físico.

2. Muitas vezes expressamos amor em nossa própria primeira linguagem do amor, em vez de tentar descobrir qual é a primeira linguagem do cônjuge. Pense se como você expressava amor quando sentia que o comunicava de forma mais adequada. Você utilizava sua primeira linguagem do amor ou a de seu cônjuge? Está disposto a fazer um novo compromisso, de modo que use a primeira linguagem do amor de seu cônjuge?

3. Se ainda não consegue observar em você o que se relaciona com as linguagens do amor, talvez seu "tanque emocional" esteja muito cheio ou muito vazio. Faça um levantamento de suas emoções mais profundas e avalie em que caso você está. Se seu "tanque" estiver vazio, faça esta pergunta: "Eu já me senti amado na vida?". Se a resposta for positiva, a pergunta seguinte é: "Quando? O que o faz se sentir amado?". Sua resposta revelará sua linguagem do amor.

4. Se seu "Tanque do Amor" estiver muito cheio, volte ao tempo do namoro e reavive sua memória. Essa prática ajudará a chegar à raiz do que era importante e resolverá o mistério. Assim, poderá compreender melhor e trabalhar para afinar ainda mais seu relacionamento conjugal.

5. Quer seu "Tanque do Amor" esteja completamente vazio, quer muito cheio, quer você já tenha descoberto sua linguagem do amor, quer não, pratique a "Verificação de Tanque" durante o próximo mês. Peça uma leitura dos resultados de 0 a 10, três vezes por semana, e sugestões a seu cônjuge, de modo que a avaliação possa aumentar para ele. Se seu cônjuge estiver no "10", você pode comemorar, mas não pare de continuar amando.

PARA DISCUSSÃO EM GRUPO

Muitas vezes, para atender às necessidades do cônjuge, precisamos adquirir novas habilidades - mesmo que seja algo simples como dizer o que se pensa. Faça um debate sobre como os casais precisam ser pacientes e dê instruções para que possam atingir o máximo da realização em seus casamentos.

Amar é escolha
& O amor faz a diferença

CONCEITO IMPORTANTE

Quando escolhemos amar na linguagem do cônjuge, obtemos muitos benefícios. Essa escolha pode curar mágoas do passado e despertar um sentimento de segurança, auto-estima e sentido. As características instintivas da paixão diferem em grande medida do ato da escolha, que se baseia na vontade e tem a capacidade de satisfazer a mais profunda necessidade emocional do cônjuge.

1. Como Brent, no Capítulo 10, nosso "Tanque do Amor" pode estar quase vazio sem que saibamos a razão. Não queremos magoar o cônjuge, mas podemos sair em busca de muitas formas inadequadas para tentar preencher nossa carência. Avalie com franqueza esses pensamentos e ações à luz das necessidades não satisfeitas. Há alguma forma melhor de preencher suas carências? Você estaria disposto a investir dois meses e testar o versículo: "Dai e vos será dado?". Por que não começar hoje mesmo para ver o que acontece?

2. Uma meta mais elevada é a satisfação de dar amor em vez de receber. Avalie como você vem expressando amor ao cônjuge

recentemente. O que você esperou receber em troca? Se não receber nada em troca, isso vai mudar seu comportamento? Algumas vezes esperamos resultados imediatos. Lembre-se: "Roma não foi construída em um só dia!". O amor é mais importante do que a construção da cidade. Aguarde.

3. Concentre-se nos atos de amor de que seu cônjuge gostaria, mas que não são naturais em você. Talvez você tenha deixado de fazê-los e precisa que seu cônjuge o relembre com sinceridade.

4. Sentido, auto-estima e segurança são imprescindíveis ao nosso bem-estar. Seja disponível e vulnerável com o cônjuge, e vice-versa, e compartilhe a impossibilidade de atingir esses três elementos sem o amor e atos seus e do cônjuge.

5. O uso da linguagem errada não é uma experiência neutra, mas extremamente negativa. Veja no Capítulo 11 a experiência de Jean e Norman. O conflito extremo de trinta e cinco anos baseava-se em um simples mal-entendido. Reveja as áreas de conflito e como elas se relacionam com uma ênfase inadequada na linguagem de amor errada.

PARA DISCUSSÃO EM GRUPO

Muitas vezes os casais buscam segurança ou auto-estima coagindo ou manipulando um ao outro, na tentativa de satisfazer as necessidades emocionais. No entanto, ainda que você tenha total dedicação e faça o melhor que pode ao cônjuge, isso não garante que receberá amor em troca. Faça um debate sobre o risco de não satisfazer as necessidades, mesmo que se ofereça o melhor. Que outros princípios além da linguagem do amor podem melhorar um casamento?

Amando a
quem não merece
nosso amor

CONCEITO IMPORTANTE

É possível, porém difícil, expressarmos amor para quem não merece nosso carinho, ainda que não sejamos tratados bem e sejamos magoados, tenhamos dor e não recebamos nenhum sentimento positivo. Apesar disso, as atitudes positivas baseiam-se na escolha, não nos sentimentos. A aplicação da linguagem certa do amor oferece possibilidades milagrosas.

1. Se seu casamento está com sérios problemas, como os descritos no Capítulo 12, você deve estabelecer um sério compromisso de vontade para assumir a seguinte experiência: Há riscos de dor e rejeição, mas existe também a possibilidade de que seu casamento torne-se saudável e realizado. Avalie o custo, pois é válido tentar. Os quatro passos a seguir (itens 2 a 5) provavelmente consumirão por volta de seis meses para resultados semelhantes aos de Glenn e Ann. A fé na ajuda de Deus aumentará muito as chances de sucesso.

2. Pergunte como você pode tornar-se um cônjuge melhor. Em relação à atitude do outro, aja com base na resposta.

Continue a buscar mais informações e a tentar, de todo coração e vontade, atender aos desejos que lhe forem apresentados. Diga a seu cônjuge que seus motivos são verdadeiros.

3. Quando você receber uma avaliação positiva, saberá que existe progressos. Peça ao cônjuge, sem ameças mas seja específico, para facilitar-lhe as respostas. Quer ele responda imediatamente, quer não, peça uma avaliação mensal. Certifique-se de que se relaciona com sua primeira linguagem do amor para que comece a encher seu "tanque" vazio.

4. Quando seu cônjuge responder e satisfizer sua necessidade, você estará apto a corresponder não somente com a vontade mas com o sentimento. Entretanto, não supervalorize esse bom resultado. Continue firme, dando retornos positivos para seu cônjuge, afirmando seu amor.

5. Se seu casamento progredir, não descanse sobre os louros da vitória e esqueça a linguagem e as necessidades diárias de seu cônjuge. Você está no caminho da realização de seus sonhos, mas deve continuar. Mantenha o registro de suas atividades para avaliar o progresso.

PARA DISCUSSÃO EM GRUPO

Muitos casamentos terminam em divórcio em vista da recusa em humilhar-se e servir um ao outro, mesmo em meio à rejeição. Faça um debate sobre os méritos dos ensinos de Jesus Cristo neste capítulo e também em Lucas 6:27: "Amai vossos inimigos". Reveja também o significado das atitudes do Mestre, quando lavou os pés de seus discípulos (Jo 13:5,12-17).

Os filhos
e as linguagens
do amor

CONCEITO IMPORTANTE

As cinco linguagens do amor aplicam-se também aos filhos, apesar de eles não terem consciência de suas próprias necessidades e talvez não entenderem suas atitudes correspondentes.

1. Palavras de Afirmação — Ao educarmos os filhos, temos a tendência de criticar as falhas deles. Se essa atitude for extremada, pode gerar conseqüências nefastas na vida adulta de seu filho. Elogie por toda atitude correta que ele(a) tiver na próxima semana. Dois elogios, no mínimo, ao dia é uma boa meta.

2. Tempo de Qualidade — Vá até o nível de seus filhos. Descubra os interesses deles e procure conhecê-los o máximo possível. Quando estiver com eles, fique totalmente presente, dando-lhes total atenção. Dedique diariamente um momento para cada um deles, mesmo que poucos minutos, mas dê-lhes Tempo de Qualidade. Estabeleça como prioridade em sua vida.

3. Presentes — Presentear exageradamente seu filho com brinquedos pode torná-los sem sentido e transmitir à criança um falso valor das coisas. Presentes periódicos, no entanto, previamente escolhidos e acompanhados de palavras de afirmação como: "Eu amo você, então quis dar este presente", podem ajudar a satisfazer a necessidade de amor de uma criança. Da próxima vez que você comprar ou oferecer um presente para seu filho, expresse amor verbalmente quando o entregar. (Outra forma de expressar amor a seu filho é não lhe dar algo que seja inadequado: "Eu amo você, por isso não vou comprar uma cobra como animal de estimação!").

4. Atos de Serviço — Apesar de você fazer coisas com freqüência por seu filho, na próxima vez em que terminar uma tarefa especialmente significativa para ele, faça questão de dizer que realiza aquilo porque o ama muito. Escolha algo que não seja muito agradável para você, mas que seja muito importante para ele. Adquira uma nova habilidade na área acadêmica ou mecânica para ser um pai ou mãe mais completo.

5. Toque Físico — Abraços, beijos e toques adequados são muito importantes para o "tanque emocional" de seu filho. Leve em consideração a idade, o temperamento, a linguagem do amor etc. de cada filho e estabeleça uma aproximação especial nessa área. Quando eles crescerem, você precisará aprender a ser mais sensível mas também deverá continuar a tocá-los para a afirmação deles.

6. Se você descobrir a primeira linguagem do amor de seu filho, preste atenção nela e use-a regularmente, porém não menospreze as demais. Elas poderão ter muito significado, pois

você já aprendeu a falar na primeira linguagem do amor de seu filho.

PARA DISCUSSÃO EM GRUPO

Fale sobre a importância de descobrir e compartilhar o conceito das linguagens do amor com seus filhos, de acordo com o nível de compreensão de cada um, segundo a idade deles. Estimule-os a expressar opiniões a respeito de suas próprias linguagens do amor. Diga qual é sua linguagem do amor e de seu cônjuge. Como essa prática pode ser estabelecida em culturas e contextos familiares diferentes?

Compartilhe suas impressões de leitura escrevendo para:
opiniao-do-leitor@mundocristao.com.br
Acesse nosso *blog*: www.mundocristao.com.br/blog

Diagramação:	Enfanet Design
Fonte:	Agaramond
Gráfica:	Imprensa da Fé
Papel:	Chamois fine dunas 67/gm^2 (miolo)
Papel:	Cartão enzo coat 250/gm^2 (capa)